Prólogo

MÉTODO GESTAR

Hackear sueños y proyectos

MARIEL ZOCO

MARIEL ZOCO

PRÓLOGO

Dedicado a Emma, Milan, Joshua, Gabriel, a mi madre, hermanos, sobrinos, y a todos quienes cada día buscan lograr sueños y proyectos.

MARIEL ZOCO

Prólogo

Método Gestar es más que un corriente libro, es una metodología para alcanzar un propósito laboral o personal basada en la organización y flexibilidad, es una experiencia de un viaje en búsqueda de un hijo a Ucrania durante la guerra del 2022; nacido por Subrogación de Vientre. Este libro es un proyecto de vida cumplido, llevado a cabo con el corazón, la razón y la intuición, su autora Mariel Zoco nos invita a recorrer un camino emocionante contándonos su historia personal que lo hace atrapante, interesante por toda la información recaudada y a su vez nos enseña 11 pasos basados en un método para poder cumplir nuestros sueños. Está escrito con un vocabulario claro, teniendo en cuenta la sensibilidad y complejidad como es abordar el tema de la Fertilidad; menciona las distintas opciones que existen para que una persona o parejas puedan cumplir su deseo de ser padres. Nos explica y detalla cada etapa del Método con dos enfoques; el primero enfocado a su proceso de Subrogación de sus hijos y de manera paralela lo relaciona con el segundo enfoque para que pueda ser aplicado en el ámbito empresarial. El contenido se nos presenta como una guía proponiendo ejercicios grupales y preguntas de técnicas útiles.

No tengo dudas, que este libro será un gran aporte valioso para todo aquel ser humano que quiera cumplir las metas que se proponga, tiene la capacidad de motivar a los lectores para gestar cualquier proyecto. Será un legado para Emma y Milan, los hijos de Mariel que mediante este libro ellos podrán compartir y contar su historia una y otra vez.

Por último, amiga Mariel quiero que sepas que sos una maestra de la Vida; gracias por transmitir el concepto de Resiliencia, por poner el foco en los valores de familia y deseos, por ser una "locomotora" yendo para adelante, siempre luchando y a su vez con tu gratitud enseñas un *"Dar sentido a la Vida"*. Afortunados somos de tenerte cerca.

Gracias por ser yo una de las personas elegidas para confiarme este libro y permitirme escribir el prólogo y haber podido acompañarlos, ayudarlos en todo este proyecto de formar una familia, atravesando todo el proceso a la distancia, pero siempre conectados desde el corazón manteniendo la Esperanza de que los sueños se cumplen!

Nana Aragone

Introducción

Soy mujer, esposa, argentina, gerente de una gran empresa de energía con más de 30 años de experiencia laboral, con unas ganas de crecer en todos los sentidos imaginables para ayudar al mundo a ser un lugar mejor; comencé mi camino como madre cuando tuve a mis hijos Emma y Milan, por subrogación de vientre, en Ucrania. Ahí, en Kiev, la capital y mayor ciudad de Ucrania, en una zona de adelantos tecnológicos, en una ciudad donde su transporte público es el más profundo del mundo, en la ciudad que en el siglo V fue un asentamiento de una gran ruta comercial entre Escandinavia y Constantinopla, en una ciudad que tuvo dominio vikingo y que fue destruida por la invasión de los mongoles en el siglo XII, donde se vivió la Revolución Industrial bajo el imperio ruso, capital de un país independiente a principios del siglo XX para luego anexarse a la Unión Soviética, donde nuevamente declaró su independencia en 1991 con la caída de la URSS, y allí en Kiev, tuve a mi hija en el 2019, y donde tuvimos que volver en el año 2022, mi esposo Gabriel y yo. Cruzar la frontera, y adentrarnos en un país, nuevamente en guerra, con Rusia, rodeados de soldados y tanques, y cuidándonos al mismo tiempo del COVID, para ir a buscar a nuestro segundo hijo, a Milan.

Gestar sueños siempre. Hackearlos. Desarrollarlos. Todo comenzó teniendo un sueño de gestar….

En agosto del 2022, decido escribir un libro. Sabía que el proceso me ayudaría a ordenar las vivencias, las tareas, y mi vida. Pensé que me llevaría menos tiempo, y luego de 9 meses me encontré revisando los textos.

Formar una familia y tener hijos ha sido para mí, una misión, un desafío, una zona de incertidumbre y alegrías, de gozo y de tristezas, un camino, muchos caminos los cuales pude transitar gracias al entusiasmo que siempre impulso, gracias a mi adorado esposo y su siempre increíble energía positiva, y gracias a todas las personas que nos acompañaron. Gestar. Nuevamente este verbo fue el centro de mi vida.

> *La Real Academia Española explica el verbo GESTAR:*
> *1. Llevar y sustentar en su seno el embrión o feto hasta el momento del parto.*
> *2. Preparar o desarrollar algo, especialmente un sentimiento, una idea o una tendencia individual o colectiva.*
> *Su origen etimológico proviene del latín gerō, gerere ("llevar a cabo")*

Quiero redactar mis vivencias para que les sirvan a todas las personas que tengan inconvenientes para tener un hijo y deseen formar sus familias; para las empresas, que son el segundo hogar de sus empleados y empleadas para que siempre, con empatía, cuiden y apoyen las iniciativas de la gente y sus familias, para que investiguen y soporten procesos que a veces no están completamente regulados, para que tengan coraje y sabiduría como lo tuvo siempre la organización para la cual trabajo; y para toda persona que se interese de este tema, especialmente líderes,

Introducción

como así también toda aquella persona que quiera cumplir sus sueños, sea formar una familia, un deseo personal o profesional.

A través de mis vivencias, desarrollé una guía, la cual denomino el **Método GESTAR**.

¿Por qué y para qué escribir este libro? Por un lado, para dejar la historia por escrito, pero por otro, para acompañar a mujeres y hombres que quieren formar una familia, a personas que quieren cumplir un sueño, un proyecto de vida, o un proyecto profesional.

Mi familia se formó gracias al apoyo que me brindó la empresa donde trabajo, Pan American Energy (PAE), líder en desarrollo de iniciativas y negocios de energía, por lo cual me gustaría que el hecho de poder "formar una familia" sea un valor en los empleados no solo de PAE, sino de todas las empresas del mundo.

Deseo que mi historia sea una motivación y una invitación para entusiasmarlos a "hackear" (*conseguir, adentrarse*) sus sueños, que les sirva a muchas personas para superar sus intentos y sea una guía para lograr sus metas. Propongo que este libro sea material de uso de lectura en cursos de liderazgo y gerenciamiento, ya que no sólo trata el tema de cómo ser padres sino también de cómo desarrollar los sueños y proyectos en la vida y poder cumplirlos.

¿Qué es la fertilización asistida? ¿In Vitro? ¿ICSI? ¿Subrogación de vientre? ¿Por qué hacerlo tan lejos de nuestro país? ¿Cuáles son los desafíos legales, financieros? ¿Qué significa formar una familia? ¿Cómo se entrelazan el mundo corporativo y el mundo personal? ¿Cuáles son tus sueños personales y profesionales?

En las siguientes páginas analizaremos estos temas, mi propuesta es que lo hagamos a través de la historia de la búsqueda de mi hijo, a quien tuvimos que ir a buscar en medio del COVID y de una guerra entre Ucrania y Rusia.

Ver a mis hijos y a mi esposo, me genera fortaleza, los amo y los quiero perpetuar en este libro junto a mis sentimientos, emociones y experiencias. Cuando vas caminando por los ciclos de la vida, se van armando nuevas etapas, se abren nuevas puertas, y vas ampliando tus posibilidades y capacidad de hacer. La vida seguirá transcurriendo, y cada instante será un inicio de todo tipo de viajes, también desenredaremos los nudos que se nos presentan día a día.

Fueron muchas la personas cuya ayuda hizo posible que nuestro sueño se hiciera realidad.

En primer lugar, a mis padres, quienes me Gestaron. A mi madre María del Carmen Fornes, la gran líder e inspiradora de mi vida, viuda con tan solo 44 años, con 3 hijos a quienes protegió y educó sola. De igual forma, pero ya con más avanzada edad, cuidó a mi hija mientras viajaba y me adentraba en Ucrania en el medio de una guerra; y quiero honrar a mi padre, a quien no veo hace más de 40 años, pues partió a otro plano, pero no sin dejar su huella en mi corazón. Junto a mis padres, deseo agradecer a mis hermanos Walter y Sergio Zoco, quienes son un resplandor del sol en el camino, uno aquí en el plano terrenal y otro desde el cielo, siendo mi ángel guardián.

Introducción

Quiero honrar a Claudia, quien, con su sonrisa y cariño, cuidó a mi hija Emma en nuestra ausencia mientras viajábamos a buscar a su hermano.

Quiero agradecer a la familia, amigos, médicos, psicólogos, terapeutas, cancillerías, personal diplomático, embajadores, cascos blancos, periodistas, compañeros de trabajo, a mi equipo, vecinos y un sinfín de personas que nos ayudaron a transitar este camino.

Me lleno de emoción al escribir este libro y afirmar que lograr sueños es posible, es cierto que muchas veces hay que flexibilizar los medios para alcanzarlos, aceptar esas fronteras y adecuar las herramientas para lograrlos, todo es posible.

Es así, como **GESTAR** es un método creado y aplicado a mi vida, inspirado en tantas experiencias personales y profesionales para alcanzar cualquier meta con mucha valentía.

Descubrí que para alcanzar mis sueños tenía que salir de mi zona de confort en 180 grados, ser valiente y atreverme a cruzar fronteras, culturales, físicas, y mentales.

Mariel Zoco

"Entre las cosas hay una de la que no se arrepiente nadie en la tierra. Esa cosa es haber sido valiente."
JORGE LUIS BORGES

La vida es un invitación a gestar ideas,
proyectos, sueños que nos permitan ir
evolucionando como personas.

En el camino hay altos y bajos.
En los bajos, a veces se toca fondo
y al subir, hay infinidad de
herramientas, como la
ciencia y la tecnología
que nos valen para emprender
el camino y así alcanzar los sueños.

Este libro está dedicado a
los dos seres mas bellos:
Emma y Milan
quienes nacieron en Ucrania
por subrogación de vientre,
a mi amado esposo Gabriel,
a nuestras familias y amigos, a todos los médicos y
psicólogas que nos han acompañado,
a PAE y toda su gente, a Cancillería,
al personal de las embajadas
argentinas, a los voluntarios del mundo,
a los rumanos y ucranianos,
a los abogados, a la clínica que hace posible
los sueños de formar familias,
al amor de las gestantes que fueron
las más importantes mujeres
con las cuales me encontré
en este camino de la maternidad,
a todos.
¡¡¡INFINITAMENTE GRACIAS!!!

Método Gestar

El siglo XX, cuando nací, estuvo liderado por el avance de las ciencias médicas, la industrialización, y especialmente la tecnología; el siglo XXI en el que nacen mis hijos, estimo estará guiado por los avances de la biotecnología, la genética, la robotización, las ciencias de datos, la inteligencia artificial y la computación cuántica.

Me detengo en la palabra **GESTAR**, la que motivó la **VIDA** de mis hijos y es el eje de mi vida profesional, que siempre estuvo orientado a dirección y ejecución de proyectos fundamentalmente de sistemas y procesos, también algunos emprendimientos y espacios de educación.

¿Por qué método GESTAR?

GESTAR instruye claramente lo que significa preparar un sueño, un proyecto, algunos dicen que es un "parto", otros opinan que el sueño o proyecto es un "hijo", muchos desarrollan sentimientos, y es aquí donde marco la diferencia en la preparación y clarifico que hay que hacerlo con la razón, el corazón y la intuición.

¿Cómo llegar a destino?

Los proyectos que además de estar organizados racionalmente, se les pone pasión, emoción, y toda nuestra fuerza interior para alcanzar lo que nos proponemos, pueden ser personales o laborales, y cuando la meta sea clara y sostenga armonía en tu razón, en tu corazón y en tu intuición, llegarán a destino.

GESTAR es una palabra fuerte, y es lo que impone este nuevo método, trabajar la fuerza del proyecto desde las entrañas, desde las raíces.

Con el proyecto personal de mis hijos, logré trabajar un nivel de mi vida que a mí entender hay que adicionar al planeamiento: mientras la llamemos metodologías de gestión de proyectos, gestión de sistemas, gestión de procesos, simplemente usaríamos la razón; necesitábamos algo distinto, necesitamos Gestar el proyecto desde dentro, desde nuestro cuerpo, darle vida, por ello, nace esta metodología que se llama **Método GESTAR**.

El libro tiene 2 partes, en la primera describo los 11 pasos del método y cada paso está iniciado con las distintas vivencias de mi camino de subrogación de vientre donde el método sostiene la vida.

Aquí, describo más detenidamente las vivencias que cuentan la historia de este proyecto maravilloso de formar una familia, es mi historia, la que quiero dejar a mis hijos. Desde el sueño del desenlace, hasta pequeños pasos planeados sentada en el living de mi casa, acompañada de un café y con mi perra recostada sobre mis pies; viendo las hojas de árboles caer en mi terraza, y queriendo llenar ese espacio con desorden y juguetes con niños.

Es el camino que recorrí junto a Gabriel, mi marido, pareja y mi compañero de vida, robusto, fortachón, amable, sensible a los detalles que lo ayudan a ser un gran fotógrafo. Es el camino que nos permitió que mi hija Emma y mi hijo Milan pudieran venir al mundo, nacer, unirse en familia conmigo.

Un desafío es un reto, que requirió coraje, destreza, fuerza, agilidad, pude aplicar todas las experiencias y aprendizajes del pasado, agregando nuevos conocimientos, pensamientos, nuevos condimentos para alcanzar estos grandes sueños y siempre aprendiendo. Para evolucionar hay que aprender constantemente.

En la segunda parte, encontrarás ejercicios prácticos que te permitirán aplicar fácilmente el método para hacer realidad tus sueños, y proyectos tanto profesionales como propios. Fueron pensados para guiarte en la implementación de cada uno de los pasos y que no necesitan estar de manera secuencial.

A medida que desarrollé mi trayectoria profesional y personal, siempre entendí que debíamos coordinar actividades y tareas, seguir una metodología, organizar los pasos a seguir.

El planeamiento es la fuerza, y la flexibilidad y agilidad son los complementos para lograr velocidad y eficiencia en lo que se desea alcanzar. Saber cambiar de rumbo al encontrarte con un camino que se bifurca en varias rutas o avenidas, como diferentes medios para lograr el objetivo. Tomar una decisión, en un instante, aquí es donde se logra la sincronización.

Aprendí a basarme en la razón, el corazón y la intuición para tomar con rapidez la mejor decisión, aunque esto implique otras formas para alcanzar tu sueño y aunque a veces implique también poner en riesgo tu vida, y/o la de otros.

Antes de profundizar con este tema, quiero destacar el aprendizaje que me dejó un vicepresidente de la empresa en la cual trabajo actualmente (Pan American Energy - PAE), Danny Massacese. Cuando lo conocí, observé que cambiaba de rumbo y de decisiones fácilmente. Mi primera impresión, y dado que desconocía las causas de los cambios, era que tenía una mirada muy operativa. Con el tiempo me di cuenta de la verdad, sus virajes en el camino eran consecuencia de ser flexible, de ser ágil, por tener "cintura", y buscar la máxima efectividad para resolver problemas o situaciones críticas, tenía estrategia y táctica para alinear cualquier plan operativo.

También aprendí de otros líderes a animarme a más y más. Aprendí de mis referentes, modelos estratégicos que me permitieron ser más detallista, aprendí a investigar, actividad que amo realizar en cada nuevo desafío, y sobre todo aprendí que debo seguir creciendo y que todo deseo es individual, pero se logra en comunión con otros.

El método **GESTAR** se sustenta en tres ejes primordiales:

- ✓ **Razón**: basado en conocimiento, investigación, ciencia y tecnología para gestionar.
- ✓ **Corazón**: basado en lo que uno desea, en lo que uno ama, para hacer las mejores elecciones y disfrutar de las mejores vivencias, incorporando la creatividad y la innovación donde se requiera.

✓ **Intuición**: basado en la experiencia, la percepción y los pensamientos más positivos para lograr ese deseo o meta.

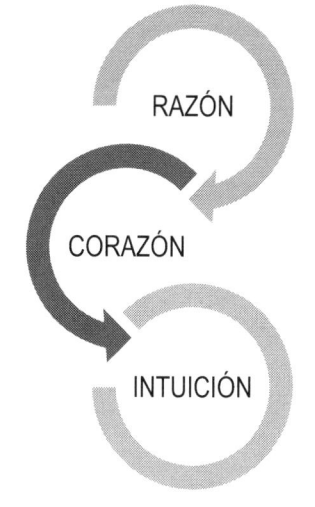

La razón la usamos el 50%, el corazón el 30% y la intuición el 20%. Dentro del eje de la Razón, observo que un camino es consecuencia de 2 componentes claves: **Organización y Flexibilidad.**

Método GESTAR

=

ORGANIZACIÓN

+

FLEXIBILIDAD

Al comenzar una tarea, un proyecto, un camino, un emprendimiento, una trayectoria, aparecen, con fuerza las primeras preguntas ¿Para qué lo vamos a hacer? ¿Por qué? ¿Cuándo lo haremos? ¿Dónde lo haremos? Y la más importante de todas las preguntas... ¿Cómo lo haremos? He observado que siempre se pone el foco en la visión y en el propósito de una actividad, y me parece correcto pues es el primer elemento de todo camino, ahora necesitamos profundizar toda la hoja de ruta.

Habiendo tantos métodos y metodologías en el mundo, ¿por qué hacer uno nuevo? Quiero agregar la flexibilidad, y ésta aparece cuando nos preguntamos cómo hacer algo.

Los "¿Cómo...?" nos abren posibilidades y es cuando más necesitamos de la flexibilidad, pero teniendo presente la productividad.

Planificar no nos garantiza el éxito, es un elemento estático que no puede prever los imprevistos; "hay que jugársela". PAE con sus directivos liderados por Marcos Bulgheroni aplica la flexibilidad y agilidad para maximizar el potencial de las iniciativas y negocios. Ser flexibles y preguntarnos "cómo hacer" nos ayudará a superar los obstáculos que se nos presentan cuando el plan toma vida para alcanzar exitosamente lo que nos propusimos.

Los desafíos suelen producir desasosiego o parálisis en las personas, muchas veces devenido a un excesivo análisis, donde la única pregunta que nos puede impulsar a la acción es: ¿Cómo resolverlo?

En el método GESTAR, que está basado en la experiencia de buscar una familia a través de la subrogación de vientre junto a mi esposo, pondré un especial significado en cómo resolver un desafío. No quiero extenderme en el por qué, sino en el cómo.

El método tiene la misma esencia que mi historia: razón con la que gestionamos, corazón con el que elegimos y la intuición con la que recordamos y retrotraemos a nuestra mente los pensamientos más importantes para poder concertar nuestros sueños.

El método consta de los siguientes 11 pasos, dispuestos en 3 colores, verde que representa la actividad de la razón, rojo que representa la actividad del corazón, y amarillo oro, que representa la intuición.

1. **Establecer** la Visión y la Misión para alcanzar un Propósito.
2. **Enfrentar** los Temores, Miedos y Riesgos.
3. **Atravesar** las Fronteras.
4. **Transitar** el Camino y dejar Trayectoria.
5. **Autogestionar**.
6. **Recordar**. El poder de la experiencia y de los recuerdos. Los Flashbacks.
7. **Potenciar los Recursos**. A través del corazón, usando la razón, y apoyándonos en la intuición.
8. **Atraer** las Fuerzas Positivas.
9. **Gestionar** Situaciones Críticas.
10. **Aprender** y **Volver a empezar**.
11. **Investigar** para Entender.

Cada paso del método GESTAR está basado en experiencias reales, y contiene referencias al contexto y a la flexibilidad.

1) **ESTABLECER** la Visión y la Misión para alcanzar un Propósito: es el punto de partida, el comenzar. La aplicación Google Maps, en nuestro teléfono, necesita un destino para ser útil. Con mencionar sólo el destino ya podemos observar las alternativas de caminos para llegar al punto final. Lo más importante es saber a dónde queremos ir, qué queremos lograr y quién queremos ser.

2) **ENFRENTAR** los Temores, Miedos y Riesgos: en el trayecto surgirán los miedos, donde todo se pone en duda y con un enorme riesgo de abandonar, debemos tener el coraje y hacer frente a las amenazas, con altas dosis de confianza. Saber que siempre tendremos riesgos que superar.

3) **ATRAVESAR** las Fronteras: todo camino tiene dificultades, todo destino exige superarlas, los obstáculos aparecen como barreras que detienen nuestro transitar, ese sentir que no avanzamos o no podemos avanzar. Es momento de volvernos conscientes para tomar fuerzas y traspasar las limitaciones que encontremos.

4) **TRANSITAR** el Camino y dejar Trayectoria: son los momentos en que avanzamos, puede ser un viaje en tren o avión, pero también puede ser una ventana en nuestra vida en donde uno simplemente está trasladándose de un lugar a otro. Aunque implique a

veces cambiar los medios, las estaciones o las rutas transitadas. Lo importante es llegar a cumplir esa meta, deseo, proyecto.

5) **AUTOGESTIONAR**: exige mucha madurez tener la capacidad de autogestionar, fuimos educados para tener guías y seguir pasos que nos dificultan al momento de tomar nuestras propias decisiones y resolver solos situaciones críticas. Aparecerán muchos momentos en los cuales vamos a tener que tomar coraje para actuar basados en nuestra razón, corazón e intuición y asumir las consecuencias.

6) **RECORDAR** el poder de la experiencia y de los recuerdos. Los Flashbacks: es un paso que no se encuentra referenciado en muchas metodologías, y que justamente ayudan a producir un "darse cuenta", un "insight". Es cuando se vive un momento, pero algo dentro de uno nos lleva a otro lugar, a otro tiempo, pasado y futuro para luego aplicar una decisión en el ahora.

7) **POTENCIAR** los Recursos: a través del corazón, usando la razón, y apoyándonos en la intuición: en todo proyecto gestionamos recursos de distinta índole, usaré las dimensiones del PMI – Project Management Institute: alcance, tiempo, recursos humanos, comunicaciones, calidad, riesgos, adquisiciones, finanzas, e integración. El objetivo será siempre maximizar cada uno de ellos, encontrar la manera de optimizarlo. Incorporo también guías de aplicación de la agilidad y flexibilidad.

8) **ATRAER** las Fuerzas Positivas: pondré foco en el uso del lenguaje interno y externo, el que nos habla en la mente. Hablar en forma positiva, atraer las circunstancias. No comencemos un pensamiento con "No puedo hacerlo", o "´Voy a tratar…" pues eso auto pronostica no poder cumplimentar la tarea.

9) **GESTIONAR** las Situaciones Críticas: son las calles sin salida que aparecen en todo proyecto, es un momento que exige la imaginación, la experiencia y la co-creación para superar situaciones límites. Nuevamente surge nuestro ¿Cómo haríamos para…? y encontrar respuestas.

10) ¿**APRENDER** y **CÓMO** volver a empezar?: las metodologías ponen hincapié en arribar a una meta, pero nos olvidamos de que la meta es el principio de la siguiente, por lo cual aquí es donde quiero entrelazar los proyectos, las actividades, la vida misma.

11) **INVESTIGAR** para Entender: en muchas instancias del proyecto vamos a necesitar información porque nos permite reducir esfuerzos, entender las situaciones a las que nos vamos a enfrentar, conocer casos exitosos que pueden servirnos de referencia, anticipar situaciones de riesgo. Incorporar, desde el inicio del proyecto y durante el desarrollo de este, todo el conocimiento disponible aplicando inteligencia en nuestra búsqueda para hacer las preguntas correctas que nos guíen a los contenidos apropiados.

Finalizada la introducción… ¡comencemos!

PARTE I
RAZÓN CORAZÓN INTUICIÓN

Paso 1: Misión y visión

Paso 1: Misión y visión

La misión es el horizonte a largo plazo, la estrategia. La visión es el horizonte operativo, las tácticas.

Siempre tuve presente mi misión, establecer una familia con hijos, ser mamá; junto a mi esposo, traer vida al mundo en un vínculo de amor, respeto y mutua cooperación; y desarrollarnos profesionalmente con equilibrio.

A medida que transité mi vida, fui trabajando la visión, creando ámbitos donde la gente pueda lograr y alcanzar sus sueños, donde cada persona utilice su ingenio para lograrlos, valiéndose de todos los recursos visibles y no visibles. En la misión establecida, como llegar a lograrlo, cambié muchas veces de modalidad, desde un enfoque Waterfall (lineal como observarán en el gráfico de nuestro trayecto), hasta ser híbrido y ágil.

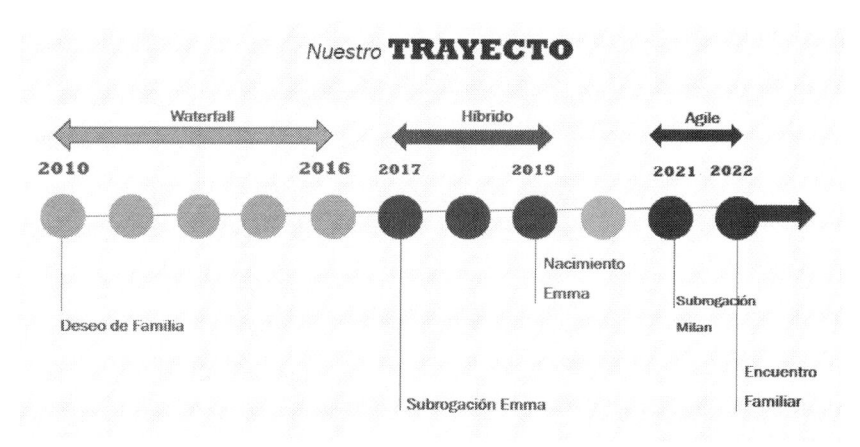

Nuestro **TRAYECTO**

Waterfall — 2010 — 2016
Híbrido — 2017 — 2019
Agile — 2021 — 2022

Deseo de Familia
Subrogación Emma
Nacimiento Emma
Subrogación Milan
Encuentro Familiar

Principios de febrero del 2022. Estoy en Buenos Aires, en Argentina. Nos aprontábamos a preparar el viaje a Ucrania. Nuestro segundo hijo, Milan, nacería en marzo a través de un proceso de subrogación de vientre, en la ciudad de Kiev. Era nuestra intención viajar los tres, mi esposo Gabriel, mi hija Emma quien también 3 años atrás había nacido en Ucrania a través del mismo proceso, y yo.

24 de febrero del 2022. Rusia invade Ucrania e inicia la guerra, anticipan que quieren tomar Kiev, donde está la clínica Biotex, el lugar donde nacerá nuestro hijo.

A los pocos instantes de enterarme y comenzar a comprender el impacto de las noticias de ese día, me doy cuenta de que en un santiamén se detuvo mi mundo y mi reloj interno, para luego de algunos segundos comenzar un proceso de análisis de centenas de preguntas, escenarios, y alternativas, liberando adrenalina de golpe. A esto me refiero tener que ser flexibles, no puedo quedarme con mis planes, habrá que tomar decisiones, y rápidamente.

PARA ESTABLECER LA MISIÓN Y LA VISIÓN, HAY QUE CONVERSARLA. FOTO EN REPÚBLICA CHECA, PRAGA.

Imaginemos un camino, lo estamos recorriendo, a pie, en bicicleta o en auto. Solo podremos ver lo que alcanzamos con la vista, el resto lo percibimos, lo imaginamos, lo deseamos, lo sentimos, pero no lo vemos, sea una sección de la ruta donde transitamos, el comienzo de una carrera universitaria, el comienzo de un trabajo, o cruzar una frontera adentrándonos a un país en medio de una guerra.

Aquel 24 de febrero, cambian los escenarios, ya no sabíamos con qué medio llegaríamos a Ucrania, ya se habían cancelado todos los vuelos a este país. Quiero agregar que el mundo estaba atravesando regulaciones con el COVID por lo cual el escenario era nuevo, pandemia y guerra, no había antecedentes.

Solo teníamos la certeza y la convicción que lo íbamos a lograr. Volví al living de mi hogar, con mi perra recostada sobre mis pies, ahora con mi hija jugando cerca, y tomando nuevamente un café. Creo que el coraje y la creatividad aparecen cuando ciertamente uno no tiene otra opción, pero no es tan fácil sentarse a planificar los cambios. Muchas veces transmito a las personas que deben tener calma para pensar más rápidamente, hay que descartar opciones que no tienen sentido inspiradas en el miedo y las creencias limitantes humanas, y explorar otras alternativas con curiosidad, también de naturaleza humana. Aparecen preguntas. ¿Estará bien mi hijo? ¿Estará bien la mujer que lo lleva en su vientre cuidándolo para su encuentro conmigo? ¿Y la clínica? ¿Y la ciudad? En realidad, aparecen centenas de preguntas, miles de pensamientos a una velocidad irrepresentable al escribir estas palabras.

Cuando uno sale de la zona de confort, comienza el camino del aprendizaje. En mi caso quiero remontarme a 12 años atrás al momento de haber comenzado a escribir este libro, cuando esta historia comienza.

Todo comenzó cuando…

Cuando… me enamoré de mi esposo Gabriel, con quien quise formar una familia y compartir mis sueños.

Un sábado durante un mes de abril, en los inicios del otoño, celebrando el cumpleaños de su hermana Valeria Riccardo y un amigo Lucas Pérez, "el oftalmólogo", ambos amigos de Noel Fernández Carranza, integrante de mi grupo de amigas al cual titulamos "La Granja", puedo recordar que en ese día apareció la celestina de mi vida. De celestinas podríamos escribir hasta novelas, son personas que de forma sutil facilitan que dos personas se conozcan.

Había mucha gente, un lugar donde se organizaban cumpleaños, el ambiente bastante oscuro iluminado por las luces que jugaban al compás de la música, elevada, quizás hasta por encima del nivel esperado. Había ido con una amiga, Mónica Berman. Esa noche tuve una emoción distinta, una voz en mi interior me decía: "quédate un instante más". Mi intuición también reafirmaba esa sensación …

Tenía un ticket para canjearlo por una bebida, los cumpleañeros habían comprado cupones como invitación. Promediando la noche, me acerco a la barra del lugar, abriéndome paso entre tanta gente, ya con la música un tanto más tenue, y un calvo de sonrisa impresionante, me mira y con autoridad y calidez a la vez, me dice: "dame el ticket que se lo acerco al barman". WOW, algo sucedió en mi mundo. Le respondí: "mil gracias, te agradezco mucho". Nuestras miradas y sonrisas flashearon, pero no pasó nada más, ese día. No nos volveríamos a ver hasta varios meses después.

Días más tarde, en una cena con amigas entre los comentarios de la fiesta me sorprendo diciendo: "qué interesante el hermano de Valeria", se hace un silencio que Noel, rompe con mirada pícara y me pregunta: "¿te gusta?".

Ella quería verme feliz, por eso decidió oficiar de celestina y habló con la hermana de Gabriel. Valeria adora a su hermano, como a un padre, un hermano, su amor de hermana es incondicional.

Las celestinas Noel y Valeria no sabían que Gabriel, dos meses más tarde de nuestro primer encuentro, un 11 de junio me había escrito por las redes. Atónita y aún no acostumbrada a relaciones iniciadas por internet, me animé a contestarle recién el 21 de junio. Ya habían transcurrido más de 2 meses de aquella mirada en el intercambio del "Ticket", ese cupón que con el tiempo nos uniría a ser novios, esposos, y ¿por qué no? a transportarnos a situaciones y viajes únicos. Allí empezamos a chatear, durante dos semanas, todos los días.

Él vivía y trabajaba en Olavarría, una ciudad a 380 km de la capital de Argentina en la provincia de Buenos Aires. Desde hacía más de 20 años se desempeñaba como Analista de Sistemas con orientación en marketing en el área de tecnología de una obra social muy reconocida del país.

Gabriel con un hijo de 10 años, Joshua, de una relación anterior, quería continuar su proyecto de familia. Por mi parte, me había divorciado hacía unos años.

El anhelo de tener una familia nace desde mi niñez, hija de María del Carmen Fornes y Roberto Domingo Zoco, con dos hermanos varones, yo la más chica y única mujer. Disfruté mucho a mis padres y hermanos. Tuve una familia numerosa, al igual que mi papá que tenía ocho hermanos y mi mamá, tres.

Después de varias semanas de chatear con Gabriel compartiendo nuestro día a día, decidimos encontrarnos y fue mágico. Y los encuentros siguieron, y el amor nació. Fueron 6 meses de viajes de fines de semana de Olavarría a Buenos Aires, descubriendo todo lo que teníamos en común, ilusiones y deseos que nos llevaron a querer vivir juntos, pero no teníamos claro si en Olavarría o en la Capital de Buenos Aires, muchas decisiones de por medio. Siempre análisis, razón, corazón e intuición.

¿Tu casa o la mía? La base conjuntamente elegida fue Buenos Aires, Gabriel renunció a su trabajo estable de más de 20 años y así iniciamos este proyecto. Fue una gran decisión dejar un empleo con una importante antigüedad y una ciudad en la cual vivía hacía más de 10 años, dejando amigos. Una casa bellísima que había construido.

El proyecto de tener hijos ha sido un largo camino, miro hacia atrás y veo que fue un período de la vida lleno de desafíos, incertidumbre, por un lado, y certezas por otro, momentos de felicidad y de zozobra, obstáculos, decisiones, muchos cafés, risas y llantos, oportunidades para forjar el carácter, preparación, nuevamente la aparición de la razón, el corazón, y la intuición; y a la vez, alivianado, porque lo recorrimos juntos.

Nuestros primeros intentos de embarazo

Luego de comenzar a vivir juntos, en diciembre 2010, nos mudamos a un departamento nuevo que pudimos comprar con ahorros y un préstamo. En febrero del 2011 ya teníamos nuestro primer refugio, hermoso, la luz encandilaba nuestros días, para darle la bienvenida a Bela, nuestra perra de raza Vizsla en abril del 2011. Esta raza es el perro nacional de Hungría, marrones, de tamaño grande, delgados, con musculatura, de piel sin pliegues, con pelaje muy corto, cazador y acompañante, activo, orejas semi largas que cuelgan simpáticamente al costado de su rostro, de expresión vivaz e inteligente.

Bela es un animal que me ha ayudado a comprender más el amor. Me preguntaba, ¿si esto se siente por una mascota, ¿cómo debe ser el amor de una madre hacia su hijo, aunque no lo tengas en tu vientre? Gabriel la trajo de un viaje que hizo a Junín, provincia de Buenos Aires, vinieron solos en el auto y cuando llegaron, Gabriel la puso en la cámara del portero eléctrico, yo estaba con mi madre y mi hermano en casa, y al ver llegar a Bela estallé de la emoción.

Meses más tarde, decididos a ser padres, comenzamos con la búsqueda del bebé. Primero intentamos naturalmente, y no llegaba; allí decidimos comenzar el recorrido con ayuda de métodos de asistencia a la fertilidad.

Asistimos a una clínica, muy reconocida, con una alta tasa de éxito de embarazo e iniciamos la búsqueda de manera expectante, y con mucha felicidad llegó el primer embarazo, no se hizo esperar, fue después de nuestro segundo intento vía estimulación, estábamos radiantes de felicidad.

Bela, con su alta sensibilidad, se sentaba a mi lado como presintiendo algo. Pasados dos meses, un día, luego de llegar a casa, después de una intensa jornada laboral, mis piernas sintieron una catarata de sangre. Decidimos salir al sanatorio más cercano y la ecografía dictaminó que no había latidos. Con la decepción en carne viva taladrando mi alma y mi cuerpo, tuvimos que dirigirnos a otro sanatorio donde mi obstetra practicó un legrado, un raspado para remover de mi vientre ese gran sueño, una pérdida.

Al despertar de la anestesia, mi corazón parecía salirse de lugar por lo mucho que temblaba. Fue la primera vez que sentí miedo a morir, eran tremendos los temblores y más tremenda era esa gran pérdida, esa ilusión diluida.

Y así siguieron los intentos, una segunda vez y ahí sí prendió naturalmente. Vino un viaje familiar, un viaje de seis, primos y hermanos a disfrutar de la costa oeste de EE. UU. Fue un viaje bellísimo, recorrimos lugares impactantes, con mucha energía y experiencias nuevas, atravesar El Cañón del colorado, Yosemite National Park, Los Ángeles, San Francisco, Las Vegas y sin poder compartir el embarazo en familia. ¿Por qué? ¿Por miedo a perderlo? Por miedo a ilusionar a más gente con cierta presunción de lo vivido. Nuestro regreso fue difícil porque vino otra pérdida, esta vez menos invasiva porque no requirió legrado, ni anestesia, ni miedo a morir, pero sí a sentir nuevamente una pérdida más.

Al año siguiente otro intento y esta vez, ¡¡¡Mellizos!!! Un varón y una niña, una noticia que me llenaba el alma. Avanzaron los meses, y ya de cuatro meses y una semana, luego de otro día intenso laboral, sentada en la mesa de mi casa, Bela comenzó a llorar a mi lado, no podía entender qué le pasaba, simplemente el tiempo se detuvo. Al levantarme y sentir una catarata de agua recorriendo mis piernas, me dije "¡No! ¡Otra vez! ¡No!". Salimos corriendo al Sanatorio, los niños tenían latidos en el corazón. Debía hacer reposo, 3 semanas acostada en posición semi vertical, iba a hacer lo imposible para que estuviesen bien. Todos los días tenía análisis, estudios y monitoreos, internada en una clínica especializada en maternidad.

Era un viernes, ya los mellizos habían cumplido 5 meses de gestación. El médico me dice que los niños estaban cada vez más bajos en mi vientre, con pocas posibilidades de sobrevivir y que mi vida corría peligro. Ordena el parto de los mellizos. Fueron 3 horas de parto, la mayor frustración de mi vida. ¡Qué dolor!, ahora sí me dolía el alma y sentía que me moría del pesar. Me ofrecieron ayuda psicológica, estaba devastada y dije que no; un día más tarde, pedí un psicólogo porque no sabía cómo afrontarlo, la angustia quemaba mi pecho.

Pasó otro año para sobrellevar ese dolor inmenso, hice de todo, desde charlas a templos budistas para escuchar sobre cómo tolerar la muerte, hasta técnicas energéticas de armonización, y todos los recursos de las tres religiones que me rodean, el catolicismo, el judaísmo y el budismo.

Fue tremendo afrontar este período de mi vida, me hicieron revivir las pérdidas de mi papá y de mi hermano Walter, fallecido hace unos años, dos seres estupendos. Estas pérdidas me remiten a esas ausencias. A lo lejos, y tan cerca, un delicado hilo atravesando mi cuerpo, desarrollando un nivel profundo de resiliencia.

Un día de verano, Andrea Flores, una amiga del alma, a quien conocí a mis cortos 6 años, compartimos la primaria y la secundaria juntas, me dice: "Mariel, te ofrezco mi vientre para tener a tu hijo". Quedé sin aliento, fue el regalo más puro, bello, grandioso que una amiga puede hacerte, tocaba el cielo con las manos; mi mente comenzó a analizar los muchos interrogantes sobre cómo sería ese proceso. El mayor regalo es que Andrea brindó la apertura a esa posibilidad.

Andrea me puso una condición, que solo podía esperar un año porque me advirtió: "Ya estoy grande...", así que el regalo más grande implicaba tomar la gran decisión en el transcurso de ese año y no me decidí. Mi Razón e Intuición no estaban alineados. ¿Qué me decía el corazón? ¿Cómo íbamos a realizar nuestro sueño de tener hijos?

El desafío de comenzar un proceso de subrogación

Mi mente volaba a 1000 km de velocidad, también había momentos de quietud, de reflexión, de viajes que me llevaban a nuevos puertos, a nuevas fronteras físicas y nuevos espacios culturales, y mi deseo de ser madre seguía intacto, no sabía cómo canalizar el amor, probé intentar en fundaciones y ayudar a otros, pero no eran los caminos correctos, el corazón me decía que estaba latente ese deseo.

Y así como un día pensando desde lo racional evaluamos la posibilidad de iniciar un proceso de Subrogación en Estados Unidos con todas sus ventajas (distancia, cultura, marco legal, flexibilidad, etc.) que a su vez tenía las desventajas de altos costos. Conocía gente cercana, que con la ayuda de su familia pudieron lograr tener hijos en Estados Unidos, en nuestro caso no abordamos esta alternativa.

La inteligencia artificial, quizás de las redes, habrían registrado algún deseo mío, hasta ese momento yo no había buscado en internet la posibilidad de subrogación. Navegando en una red social muy conocida apareció la publicidad de una clínica en Ucrania que se dedica a procesos de fertilidad y subrogación.

Miré, leí, entré a la página, investigué y consulté a mi marido: "¿Qué hacemos?". Estaba sentada en la mesa del living frente a mi computadora, Gabriel en el sillón recostado con su celular en mano leyendo el diario. Le comento esta posibilidad, me mira con cara entre asombro y duda, pero no negatividad y me dice…"no sé, ya pasamos muchas cosas, yo te quiero a vos y te acompaño donde sea".

Él sabe que esa palabra de "acompañar" no me gusta mucho, porque da la idea de estar ahí pero no involucrarte. También entendía sus temores, sus dudas, sus frustraciones de no querer volver a pasar lo mismo, su hijo Joshua había tenido un problema grave al nacer, y la pérdida de los mellizos lo sellaron a fuego. Así que escribí a la clínica, investigué sobre otras, en

Ucrania hay más de 20 clínicas relevantes que realizan estos procesos. También sabía que Gabriel se involucraría a pleno, con su increíble sonrisa y abrazo enorme que todo lo abarca.

Me contestaron al día siguiente, había 6 horas de diferencia, entre Argentina y Ucrania, así que en la madrugada recibí las respuestas a mis preguntas desde lo que implicaba hasta los requisitos que debíamos seguir. Consulté a mis médicos, especialmente a Carlota Lucini, gran profesional y a la cual le debo mucho agradecimiento en este camino, a una abogada de Derecho Internacional porque quería conocer anticipadamente todo el marco legal entre Ucrania y Argentina.

Este proceso se inició en septiembre del 2017, y durante el último trimestre de ese año preparamos todos los pasos. Aplicamos, dieron el sí luego de 3 meses de evaluación, tuvimos que cumplir varios pasos para poder aplicar, dado que ellos te aseguran un bebé siempre y cuando cumplas con todos los requisitos: Legales, Salud física y mental.

Y así emprendimos el viaje a Ucrania en febrero del 2018 para conocer el lugar, pasar la evaluación médica, firmar el contrato, dejar nuestras muestras genéticas, y continuar el proceso que te iré compartiendo en este libro.

Lo que puedo compartir es que seguí los subpasos de este primer paso

1. **Establecer la Visión y Misión para alcanzar un Propósito:**

    1.1. **Fijé los nuevos logros que deseaba alcanzar**: revalidé mi deseo de familia, ser madre y continuar trabajando en mi profesión, hacer mi camino y contagiar a otros siempre el entusiasmo por crecer y lograr metas.

1.2. **Consideré los valores que quería aplicar**: cumplir con el Marco legal.

1.3. **Identifiqué que mi marido y yo, nuestra familia serían los beneficiarios** de esto y luego inspirar a otros, beneficiar a otros con este ejemplo.

1.4. **Alineé la mente con la misión y visión** que teníamos: puse acción y manos a la obra…

Basados en el amor, con el corazón, el deseo. La acción comienza cuando quieres lograr tus sueños.

De ahora en más contaré en forma paralela los pasos a seguir con realidades muy distintas entre el proceso de subrogación de Emma mi primera hija, y Milan mi segundo hijo nacido en el periodo de guerra Rusia-Ucrania.

Arco de la Libertad – Kiev

El Arco de la Libertad del Pueblo Ucraniano (en ucraniano: Арка свободи українського народу, romanizado: Arka svobody ukraïnskoho narodu), conocido coloquialmente como «el yugo» (Ярмо, Yarmó),12 es un monumento de la era soviética situada a orillas del río Dniéper en Kiev, la capital de Ucrania. Fue inaugurado en 1982 para conmemorar el 60.º aniversario de la Unión Soviética y los 1500 años de la ciudad de Kiev.34 En abril de 2022, durante la invasión rusa de Ucrania, se desmanteló una parte del monumento, una estatua bajo el arco que representaba a un trabajador ruso junto a otro ucraniano.

Método Gestar – Misión y Visión

El camino del aprendizaje se establece cuando nos proponemos objetivos. Una meta. Un destino nos permite establecer un mapa de ruta, un trayecto, el cual se irá armando al avanzar.

Este primer paso lo defino con el verbo **ESTABLECER**, pues determina la visión y la misión, es un proceso fundacional, instituimos lo que deseamos conseguir.

La misión trata de quién quiero ser, qué hago, para qué lo hago, y para quién lo hago. La misión se plantea desde hoy, el presente y cómo llegar al futuro.

La visión refleja el estado futuro óptimo. Dónde quiero estar en unos meses, años o décadas.

Aquí quiero aclarar que esta actividad se suele racionalizar y se considera una actividad de la razón, es en cambio una actividad del corazón, pues requiere de mucha pasión, valentía y ganas.

El puntapié inicial es lo que uno desea profundamente con el corazón, qué quiero, qué deseo, a dónde quiero llegar, cuál es mi próximo paso, para qué lo quiero, qué me hace feliz. Sé que es un proceso quizás complejo si lo pensamos sólo con la razón pues si basamos todo desde la ciencia, la tecnología, los números y resultados, puede llegar a ser difícil y hasta en algunos testimonios pueden llegar a ser ilusorios.

La clave es basarse en el corazón, la intuición, descubrir lo que realmente quiero en este momento, lo cual implica que uno va evolucionando y así como en la teoría de los infinitos, cada ciclo puede plantear diferentes deseos. Se aplica un condimento de intuición, pero la base fundamental de este paso es ir estableciendo con el corazón, ¿qué quiero?, ¿qué deseo?, ¿cómo me veo?, ¿qué amor no tengo canalizado? Todas estas preguntas me las hago para definir mi visión, dónde estaré y mi misión, mi propósito.

Trazo como lo haré, donde, con quién, cuándo es el siguiente paso. A todo lo escrito sobre este tema le agrego que nos basemos en el Corazón.

En el libro "Liderazgo se escribe con C: Corazón, la fuerza para entender y demostrar que no hay límites", su autora, Marisa Piñeiro, dice: "trabajar con el Corazón para mí es convertir en posible lo imposible y lo que te permite entender y demostrar que no hay límites, excepto los que tu mente te pone a vos misma". De esto se trata liderar con el corazón, con tus propios deseos, no hay razón o ciencia que te lleve a concretar tus sueños si no los sentís con el cuore, con el color rojo de la pasión, no hay razón sin corazón que tenga éxito.

Así que, compañeros de este viaje, si están leyendo este libro practicarán este método, y junto a sus propias herramientas, lograrán todos sus deseos, tareas, anhelos, proyectos e ideas.

Los pasos para establecer tu **visión y misión** se enmarcan en:

1.1) **Fijar los nuevos logros que quieras alcanzar**: el teorema de los infinitos del matemático Georg Cantor, con el cual encuentro muchas coincidencias, establece que en el infinito hay subconjuntos de diferentes tamaños, de allí viene la teoría de los conjuntos. En páginas posteriores profundizo un poco más en este estudio, particularmente el paso 10: Aprender y Volver a empezar. Lo que rescato en esta sección, es que en el infinito hay conjuntos de objetivos, algunos serán finitos y otro no, ¡el límite lo pones vos! También tomo de Georg Cantor la capacidad de hacerse preguntas, y encontrar las respuestas.

Los objetivos y a dónde quieres llegar lo pone cada persona, lo mismo sucede con los límites o los infinitos para lograr sus objetivos. Y así como en el teorema de los conjuntos, estos nos permiten comenzar nuevos ciclos, una vez alcanzados los deseos se inicia un nuevo ciclo de objetivos. Agradecer los logros del pasado y, aún más, los logros no alcanzados, también nos lleva a otro conjunto de aprendizajes que nos permitirán identificar nuevos logros a alcanzar.

Jorge Luis Borges decía que la ciencia es un espacio que con nuevos conocimientos hacen comprender una perspectiva distinta en el infinito, siempre hacerte preguntas, investigar y ampliar tu red de conocimientos te va a llevar a nuevas perspectivas, a nuevas posibilidades para alcanzar tus objetivos.

Lo importante es alcanzar los objetivos, y el cómo los queremos alcanzar se vuelve clave en este paso de lograr tus metas y tus deseos.

En mi experiencia, querer formar una familia me llevó a aplicar varios "cómo" y varios "conjuntos" (estimulación, fertilización asistida, subrogación) hasta lograr la meta. Es fundamental cambiar la mente y repensar si nuestras metas/deseos son grandes y emocionantes: este ítem dentro del paso **ESTABLECER** debe ser pensado con el corazón, con el deseo.

Preguntas guía: ¿Cuáles fueron tus logros pasados? ¿Qué podemos agradecer de tu pasado? ¿De tus logros? ¿Los medios que utilizaste te permitieron alcanzarlos? ¿Debieras cambiarlos? ¿Son desafiantes? ¿Grandes? ¿Pensados con el corazón, con el deseo más profundo?

1.2) **Considerar tus valores**: para cada uno, al momento de establecer las metas que se quieren alcanzar, se debe esclarecer cuáles son los valores que nos sustentan. En mi caso fueron en el marco de la legalidad, el trabajo en equipo, siendo mi esposo el principal socio. Desde mi formación católica no era posible, pues la iglesia católica no confluye con el marco que la Santa Sede tiene de la reproducción, pero estoy consciente de hacerlo con amor por lo cual con Dios estoy bien, entraríamos en un debate de ética y no es mi intención, esto lo reservo a cada persona. Lo importante es entender qué se considera legal e ilegal, pues las leyes las hacen los hombres, y cada país establece su marco legal.

Preguntas guía: ¿Qué valores consideras no negociables? ¿Cuál es el marco de valores que vas a aplicar?

1.3) **Identificar a quién quieres contribuir**, beneficiar: en mi historia, quienes primero se iban a beneficiar eran mis hijos pues los traeríamos al mundo y les daríamos vida, al mismo tiempo que con mi esposo formaríamos una familia junto a ellos; y en segundo lugar, lograr inspirar a otros a alcanzar sus sueños.

Preguntas guía: ¿a quién vas a contribuir, beneficiar? ¿Con quién vas a caminar, quienes serán tus socios? ¿Cuál será tu red de colaboración?

1.4) **Alinear la mente con tu misión y visión**: con el corazón, con el deseo, con una mente positiva, visualizando ese estado futuro como si fuese hoy. Sintiendo, oliendo, tocando, visualizando ese logro ya obtenido.

Preguntas guía: finalmente, en este nuevo ciclo de infinito, ¿cuál es tu visión y misión? ¿Cuáles son tus metas? ¿Lo planteaste con el Corazón y pasión? y ¿algo de Intuición?

Con esto sintetizo que **Establecer tu misión y visión** es un proceso del corazón, basado en el amor y mentalidad positiva.

Paso 2: Enfrentar temores

MARIEL ZOCO

Paso 2: Enfrentar temores

Hay que enfrenar los temores, nunca evadirlos. En mi vida los tuve de todas las variantes, principalmente el proceso para la llegada de Emma a este mundo, y una vez más, ahora se agregaba dejar a Emma en Buenos Aires mientras partíamos a Ucrania, a buscar a su hermano durante el conflicto bélico con Rusia en marzo del 2022. Adentrarnos a Kiev, mientras dejábamos a mi hija en la ciudad de Buenos Aires en Argentina. En épocas de pandemia por COVID, en el medio de una guerra.

> *Sentir abandono o una potencial pérdida al avanzar, es parte del proceso de crecer. En lo personal, esta decisión produjo una tormenta emocional de recuerdos al haber perdido a mi padre a los 9 años, producto de una intensa enfermedad; y la pérdida de mi hermano mayor por otra enfermedad crónica hace unos 7 años; y esos embarazos y bebés que perdimos como familia.*
>
> *Walter, mi hermano sufría de insuficiencia renal crónica, dicen que las heridas emocionales de los temores generan enfermedades en el riñón.*
>
> *¿Mi hermano? ¿Temores? un ser excepcional, muy aguerrido y siempre con muchas fuerzas. No entraba en mi mente que hubiese sentido temor.*
>
> *Sí, quizás lo sintió cuando falleció nuestro padre, yo con tan solo 9 años. Mi otro hermano Sergio con 14 y Walter con 21 años debieron junto a mi madre, sobrellevar una familia.*

Volviendo a nuestra experiencia de viajar con Emma en ese momento tan importante de su vida, otro gran temor que teníamos era entrar a Ucrania en medio de la guerra, perder la vida y dejar a nuestros hijos sin mamá y/o papá, una vivencia tremenda que viví de niña.

Muchos temores se nos presentaban, sin embargo, son situaciones que hay que atender en todo gran proyecto de vida personal o profesional. El impacto del temor nos puede hacer tambalear los valores, derribar la energía física, alterar el ánimo, y hasta desorganizar las finanzas.

La gran diferencia entre Gestionar riesgos y Gestionar crisis, es que en las crisis ya los riesgos se concretaron y esto implica acción, acción, acción y mucha estrategia.

Se desata la guerra

Milan tenía fecha de nacimiento para el 27 de marzo. Transcurría el mes de enero y comenzaron a circular rumores internacionales de conflicto. Biden, presidente de Estados Unidos, comunicaba que todo americano que estuviera en Ucrania tendría que salir.

El embarazo a más de 15.000 Km de distancia estaba llegando a término. Milan en Ucrania creciendo y nosotros en Buenos Aires rezando para que todo estuviese bien. En la clínica nos decían que hacía muchos años que existía esa rivalidad entre Ucrania y Rusia, pero que no avanzarían con un ataque bélico.

El 24 de febrero, las redes estallaban con la noticia de que Rusia había invadido Ucrania. En el diario "La Nación",

Elisabetta Piqué, corresponsal de guerra, informaba al diario "La Nación" de Buenos Aires, que a las 5 a.m. Kiev estaba llena de humo negro.

Algunas familias a las cuales nosotros acompañamos en el proceso de ser padres estaban allí, la culpa que sentíamos de que pudiesen perder la vida era devastadora. Comencé a tener contacto con ellos con mayor frecuencia, aún no sabíamos lo que estábamos por vivir, porque la guerra había aparecido de la nada, estaba fuera todos los planes. La misión era que ellos estuviesen con vida y saludables. Un matrimonio me cuenta que su hijo Vito, quien había nacido días antes de la invasión, estaba bien. Mientras se dirigían a la embajada de Argentina en Ucrania para obtener el pasaporte del bebé para poder regresar, sintieron una gran explosión a metros de distancia, la guerra asomaba ferozmente. De inmediato algunas familias argentinas fueron alojadas en refugios en los subsuelos, hoteles y otras entidades provistas por la embajada de Argentina en Ucrania. La meta era poder salir de Ucrania. Es así como emprendieron su regreso 5 familias por vía terrestre a través de Polonia. Un largo viaje, todos huían de Kiev, llegar a la frontera implicaba 24 horas de espera hasta poder salir. Finalmente, Mariela, Bruno, su hijo y el resto de las familias lograron salir gracias a la ayuda de Elena Leticia Mikusinski, la embajadora de Argentina en Ucrania y al Cónsul Yusef Saber que oficiaron de habilitadores para que las familias estuvieran fuera de peligro. Y así logramos relajarnos, por primera vez en esa época, al saber que estaban bien y que habían podido salir de Ucrania.

Preparando a Emma

En diciembre del 2021, tres meses antes de que naciera Milan, empezamos a preparar a Emma. Era un tanto distinto explicarle a ella, con 3 años, que tendría un hermano varón, y que lo iríamos a buscar juntos en avión. En vez de esperar la cigüeña, nosotros iríamos hacia ella.

Contaba con el invalorable apoyo de mi psicóloga Mariela Rossi, especialista en subrogación, psicóloga orientada en fertilidad, con Maestría en Familia y pareja, docente profesor de la universidad de Buenos Aires y Counsellor. Mariela fue un pilar fundamental en todos los procesos de subrogación que realicé, el primero con la llegada de Emma, el cual fue una *Maestría de Soltar, Confiar y Gestar* un bebé a 15.000 km de distancia; y ya luego con Milan, en el momento de iniciar el proceso final de preparación de su nacimiento, me sugiere los pasos a dar para comunicar y acompañar a Emma en la llegada de su hermano menor.

Y así iniciamos a desplegar un plan operativo que consistía en contarle con la mayor contención posible que íbamos a ir a buscar a su hermano. Mariela me acompañó en cada paso que dimos, una contención psicológica profesional con una gran calidez humana es fundamental.

Lo primero que hicimos fue comenzar a hablar con Emma, contarle como llegaría su hermano, y recordándole que ella fue parte de la decisión de tener un hermano. La llevamos al aeropuerto para que se familiarizara con los aviones y visualizara cómo iríamos a buscar a su hermano.

Debido a la pandemia, Emma desconocía cómo era viajar en avión, aunque la experiencia estaba en sus genes, ella había venido en avión desde Kiev con tan sólo 1 mes y una semana de edad.

Las conversaciones en torno a ir a buscar a Milan ya eran parte del día a día de nuestra familia. Mi hermano Sergio le explicaba a Emma: "¡Papá y mamá van a ir a buscar a Milan en una cigüeña grande, un avión enorme!". El plan táctico era que Emma venga con nosotros a buscar a su hermano y viva la experiencia y el regalo que ese país nos daría, la felicidad que la Gestante de Milan nos permitiría alcanzar y en la misma clínica y con los mismos médicos que vieron nacer a ella.

En paralelo, vivíamos el proceso de las familias argentinas que estaban saliendo de Ucrania. Nos desvelaba saber cómo estaría nuestro bebé, su Gestante, su familia, la clínica y todos los ucranianos que nos ayudaron con este proceso y toda su gente.

Cada día era tan intenso que parecía que había transcurrido un año. La clínica nos habilitó la posibilidad de que estuviéramos en contacto con la Gestante, cosa que a diferencia de un proceso de subrogación en USA, donde es muy común y natural estar en contacto con la Gestante, en Ucrania no está permitido, al menos así lo establece la clínica.

Primer contacto con Irina, la Gestante de Milan

La guerra comenzó a desatar planes de emergencia y gracias a una médica argentina quien tuvo su primer hijo por subrogación y tenía contacto con la parte médica de subrogación en Ucrania, nos habilitaron los celulares de las Gestantes. Mucha gente se estaba retirando hacia las fronteras.

Ya había intentado contactarla meses atrás cuando supe su nombre, Irina, por contrato. Sí, mi emoción y ansiedad a la vez por saber cómo estaría ella, me llevó a contactarla por redes sociales. La busqué y no la encontré, pues su nombre está escrito en cirílico. Dice Wikipedia "El alfabeto ucraniano (en ucraniano, Український Алфавіт, romanizado: Ukraínski Alfavit) es la variante del alfabeto cirílico utilizado para escribir el ucraniano, la lengua oficial de Ucrania".

Finalmente, por una aplicación social, y ya contando con su línea telefónica, nos pusimos en contacto. Se puso muy contenta y nos compartió que hacía tiempo que nos buscaba también. Logramos la relación y se sumó Gabriel para estar conectados los tres. Nos contó que estaba bien, que se encontraba en Zhytomyr, su pueblo, una ciudad a 150 km de Kiev, que sus hijas estaban a salvo y que ella residía en la casa de su madre. Me dijo: "Mariel quédate tranquila que voy a cuidar a tu hijo como si fuese mío", se me erizó la piel y el corazón me estallaba. Esperaba que ella fuera a la clínica en Kiev para tener mi hijo como estaba previsto, y me confirmó "No voy a ir a Kiev a tenerlo, me quedaré aquí en mi ciudad y lo tendré en un hospital público, con el obstetra que tuve a mis dos hijas". No podía pedirle nada, Irina y su familia, estaban pasando momentos inesperados llenos de incertidumbre. En situaciones normales, las Gestantes se deben acercar a la clínica y residir el último mes de embarazo con cuidados extremos.

Estas novedades fueron esperanzadoras para mí, saber que estuviese bien, ella, su familia, sus hijas, Milan; pero, por otro lado, agobiante, porque el sitio donde residía era foco de tormenta y ataques. Sabíamos que un barrio residencial de Zythomir había sido totalmente destruido el 2 de marzo, y estábamos a solo pocos días del nacimiento de Milan.

Milan se adelanta a la fecha de parto

El día sábado 5 de marzo me llamó diciéndome: "Mariel, no tengo ropita para el bebé, mis hijas ya están grandes, no tengo ropa para ponerle, y el bebé ya viene". Su desesperación y la nuestra, empezaban a erupcionar cual lava del volcán. El día 6 de marzo, cumpleaños de mi hija Emma, me informan que Milan no llegaría a término con la fecha de parto estimada para el 27 de marzo, que la Gestante ya tenía contracciones, y que comenzaban las instancias finales del embarazo, pronto nacería Milan.

Obviamente la situación de Ucrania era crítica, muy agobiante desde todo punto de vista, muchas ciudades estaban siendo atacadas y destruidas, Kiev comenzaba a estar sitiada.

Me preguntaba… ¿cómo tenía que gestionar esto? Tan difícil situación. Este temor era una lección más de vida. A partir de nuestro contacto, todos los días hablábamos, mediante traducción. Podía saber cómo estaba y le sugería que no dejara de estar en contacto con la clínica.

Día clave para festejar el cumpleaños Emma, rehacer el plan, cambiar pasajes de vuelos, ahora hacia Frankfurt sin saber por dónde entrar. Ya estaban cancelados todos los vuelos debido a la guerra. El COVID empeoraba todo. Mientras tanto, ya me había puesto en contacto con la embajadora de Argentina en Ucrania, Elena Mikusinski, quien ya había abandonado ese país, debido a cuidados del personal diplomático, pero ella y todo el personal de la embajada estaba al servicio de los argentinos en países fronterizos.

Todas las embajadas de países con sede en Ucrania se habían retirado de Kiev, me sentía literalmente devastada, sin ninguna protección, pero eso duró poco. En breve llamó personal de cancillería de Argentina, poniéndose en contacto conmigo, les conté nuestra situación, que teníamos una hija y nuestro plan era viajar a Kiev con ella. Recibimos una contundente sugerencia:

"No se los recomiendo. Tendrán instancias muy complejas por enfrentar".

Ahí surgieron otros temores: ¿con quién se quedaría Emma?, ¿por qué dejarla?, ¿volveríamos?, ¿viajamos mi esposo y yo, o alguno de nosotros? (A los hombres que entraban a Ucrania los mandaban a la guerra y no permitían el egreso de ningún hombre ucraniano).

Decidimos dejar a Emma y viajar ambos. Nuestra razón nos decía: «*dejen a Emma por más que sufran*», el corazón acompañaba con otro pensamiento: «*deben entrar a Ucrania*», y la intuición nos reforzaba y daba fuerza: «*todo estará bien*». Es así como cambiamos el plan y adelantamos nuestros pasajes, del 20 de marzo al 9 de marzo.

Nace Milan, tenemos que partir

Llega el 8 de marzo, día Internacional de la Mujer y nace Milan. Su nombre había sido elegido meses atrás: Milan es un nombre propio masculino de origen eslavo en su variante en español, derivado de los diminutivos de los nombres eslavos que contienen el lexema «Mil» (Мил), cuyo significado es **querido, amado, lleno de gracia.**

Emoción plena, recibí videos de su nacimiento, su llanto, su boca y ese hoyuelo en la pera que me enamoró completamente, una VIDA que llegó en el medio y transcurso de una guerra, lleno de paz y amor.

Cambio de planes en el trabajo. Mi jefe, mi equipo, PAE, la empresa para la cual trabajo, súper flexibles para aceptar los nuevos planes y acompañarnos en este gran desafío.

Me llamaban compañeros, líderes, amigos, familia y personas que me decían que no paraban de pensar en nosotros, ante la difícil situación que nos íbamos enfrentar. El primer compañero que me llamó fue Adolfo Di Franco, Gerente de Recursos Humanos, gran persona, líder y quien años atrás me había compartido fotos y recuerdos brillantes de su viaje a Ucrania. Adolfo muy preocupado y me dio mucha fuerza.

Finalmente viajamos el 9 de marzo con rumbo a Frankfurt, Alemania, sin saber luego cómo seguiríamos. Al aeropuerto nos llevó Gabriel Feldman, papá de Camila, una familia amiga junto a Débora Grosberg (Gabriel, Débora y Cami de casi 2 años) a quien también acompañamos a que cumplan el sueño de ser padres. Viajábamos a Alemania vía San Pablo y ellos nos acompañaron en este primer paso para cruzar la primer frontera.

Estando en el aeropuerto nos llaman desde la clínica, diciendo que Milan debía sí o sí ser trasladado a Kiev, pues debían abandonar el sitio, por ataques que estaban suscitándose. Trasladarían a Milan hasta Kiev, atravesaría 150 km y entraría a la ciudad que quería ser atacada con mayor insistencia por parte de Rusia. Nos invadía la angustia, era la sensación de entrar a un lugar a oscuras, con frío, no sentía el piso al caminar, sólo sabía que había una luz a la distancia, cálida, que me esperaba.

La vida es eso, tocar fondo y luego tomar impulso para escalar, para superar obstáculos y alcanzar nuestros sueños. Esta experiencia me enseñó que los temores no sólo se enfrentan, sino que se atraviesan, los podemos superar con la fuerza interior que te impulsa a alcanzar lo que quieres, aquello sobre lo cual tienes convicción.

Ocurre cuando tu deseo es tan grande que te da el impulso de una turbina de avión o de una planta de generación de energía, ambas tuve la suerte de apreciar desde cerca. Hay que dejar que esa energía te movilice porque nadie ni nada te va a impedir alcanzar todo aquello que anhelas. Sos vos el motor que enfrenta esos temores con la potencia de tu deseo.

Por eso te pregunto: ¿Qué temores tienes? ¿Cuáles son los mayores obstáculos? ¿Cuáles son tus deseos? ¿Qué fuerza motora tienes para cumplirlos? ¿Sentís que vos tenés todo el poder de movilizar todo lo que sea necesario para alcanzar lo que deseás? ¿Podes valerte de una red de colaboración? ¿Quién otro podría ayudarte?

Tuvimos varios temores, llegar a Bucarest, estar con los refugiados, pasar por la frontera; y tomar un tren atravesando zonas de guerra; fueron muchos, recién empezaba todo esto.

2. De esta manera, puedo resumir que los subpasos de este segundo **Enfrentar temores**, alineados con mi vivencia, son los siguientes:

2.1. **Identifiqué los miedos/riesgos y los etiqueté:** desde el momento del positivo de Emma comenzó un plan, con mucha gestión y con el positivo de Milan fue de una manera similar, aunque un tanto más relajado, pues había alcanzado una Maestría en Soltar y Confiar con el embarazo de Emma. Ahora bien, al momento de comenzar los conflictos con Rusia-Ucrania, comenzó nuevamente el plan de Gestión, identificando nuevos riesgos y concreción de riesgos en situaciones críticas que implicaron una identificación, tipificación y red de contactos para conseguir ayuda en la puesta en marcha del plan. En nuestro caso tuvimos que gestionar riesgos y eventos de crisis, bombardeos, riesgos de accidentes en ruta, riesgos de vida, entre otros. Usé Post-Its para ir identificando los riesgos, la adrenalina y el stress vivido para clasificar cada riesgo para que luego sea más fácil su gestión. Era una hora a hora la gestión de estos riesgos y crisis.

2.2. **Indagué en mi mente, en redes, el origen de nuestros miedos/riesgos/crisis**: en nuestro caso teníamos riesgos asociados a los propios del nacimiento de un bebé, sumado a la guerra, las consecuencias que toda guerra conlleva, accesos, movilidad, transporte, servicios básicos de alimentación y salud, instituciones públicas cerradas, embajadas que se retiraban de Ucrania, todo el personal de la clínica se movilizaba, salía del país, ya el 50% de la población de Kiev se había retirado, no había transporte, sólo personal militar y civil al servicio del país. Las crisis que estaban siendo originadas por la guerra, hacían aún más compleja la gestión, pero era importante saber su origen para luego armar una estrategia y el plan de acción.

2.3. **Definimos una estrategia para acotar el miedo/riesgo**: una vez que están los riesgos o su concreción, es fundamental establecer una estrategia, árboles de decisión. En mi caso, me basé mucho en **Razón, Corazón e Intuición**. Si la razón me daba un resultado, pero mi deseo interno o intuición decía otra cosa, repensaba la estrategia a seguir. Cada decisión para gestionar en tiempos de crisis o riesgos es única y muchas veces irrepetible, lo que tiene en común son el método y las agallas para resolverlos. Siempre debía recurrir a estas tres bases y en muchos casos en momentos de crisis, el corazón e intuición traían a mi mente el plan a seguir.

2.4. **Transformé la instancia de miedo/riesgo en una situación de aprendizaje y un plan de acción**: cada instancia de miedo o crisis, una vez superada, implicaba un agradecimiento y repensar como seguiríamos, pero con una mayor apertura, porque íbamos ganando confianza. No nos relajamos hasta que salimos de la zona de peligro. Tuvimos el soporte de mucha gente, nos valimos de eso, tan agradecida, tan agradecidos por todo el acompañamiento, no nos sentimos solos, aun en los peores momentos.

En este paso, la Razón es la estrella, válete de toda la información y red para gestionar los temores, riesgos o situaciones críticas.

Método Gestar: Enfrentar temores

Temores, grandes emociones llenas de adrenalina, que a veces nos congelan, y otras veces nos hacen saltar de la silla. Miedos, decisiones.

Los temores no hay que evadirlos, son desafíos que nos permitirán aprender. Dice Robert Kiyosaki "La emoción de ganar debe ser mayor al miedo de perder". Muchas veces por temor, procrastinamos nuestros deseos para alcanzar esas emociones de sentir la plenitud, de alcanzar nuestros sueños, anhelos, aspiraciones, metas. Muchas veces se prefiere vivir un "no éxito" por no enfrentar esos miedos, muchos son barreras mentales, límites que nos ponemos, otros son desafíos que nos pone la vida para superarnos. Como si fuesen lecciones que uno debe dar para aprender algo. Lo opuesto al éxito no es fracaso, sino no moverse, no actuar e intentar.

Las amenazas son en realidad oportunidades.

En el famoso cuadrante FODA (Fortalezas / Oportunidades / Debilidades y Amenazas) los invito a quedarse solamente con el cuadrante de Fortalezas y Oportunidades. Ahí están las soluciones. También los invito a que las escribamos en Post-Its de colores para organizarlos de forma eficiente, por prioridades,

PASO 2: ENFRENTAR TEMORES

por importancia, factibilidad, impacto, desarrollos, y por todas las categorías que determinemos necesarias en nuestro plan.

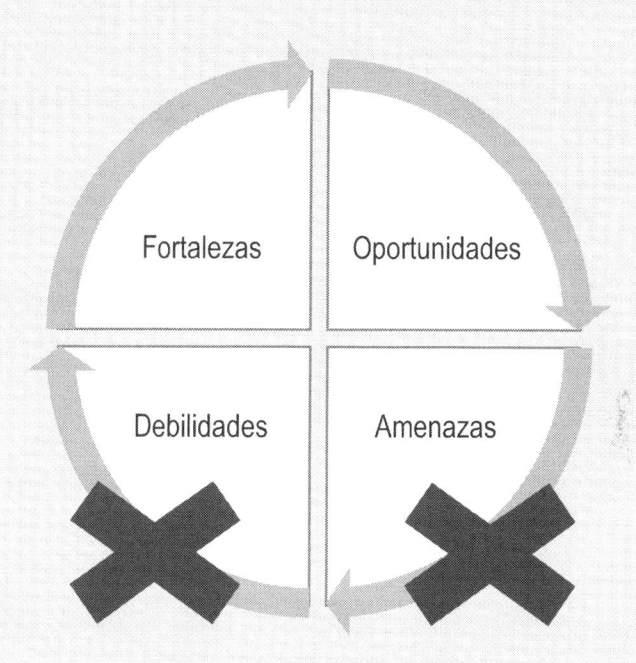

Fortalezas	Oportunidades
Debilidades	Amenazas

En gestión de proyectos, la gestión de riesgos es el proceso de identificar, analizar, y cuantificar los impactos ante una posible concreción, definir acciones preventivas para evitarlos y un plan de acción para mitigar dichos impactos.

A la gestión de riesgos típica de un proyecto, yo le agrego el condimento que se basa en lo racional, en lo mental, en las estadísticas, en los planes, en los resultados, en las mediciones y por sobre todo en la prevención, no hay mejor gestión de riesgos que planificar las medidas de prevención necesarias para que no se llegue a concretar el evento.

Claro está que cuando hay riesgo de vida, o una guerra, el riesgo se concretó, por lo cual desde mi perspectiva pasamos de la prevención a la gestión de ese evento de crisis. Si entras en una guerra, estás en permanente estado de crisis, la cual requiere analizar alternativas, decidir, actual y avanzar.

2. Los pasos para gestionar temores se enmarcan en:

   2.1. **Identificar los riesgos/miedos, escribirlos y etiquetarlos**: visualizar los miedos nos permite tener una mejor relación con ellos, al verlos reducimos la amenaza que nos genera. El poder etiquetar los miedos, ponerles un nombre, brinda la posibilidad de mejorar nuestra percepción, redefinirla.

   Preguntas guía: ¿cuál es el miedo o los miedos? ¿qué nombre le pongo? ¿si fuera un objeto que sería?

   2.2. **Indagar el origen de nuestro miedo/riesgo**: los miedos no existen, no tienen vida propia, solo existe en nuestra mente desde la percepción que tenemos de las situaciones, la connotación que le ponemos en base a experiencia pasada y que detectamos como amenaza. Si el riesgo se concreta, la indagación desde donde vino se desvanece, porque aquí lo importante es gestionar la crisis, un riesgo concretado.

   Preguntas guía: ¿de dónde viene este miedo? ¿Es una lectura personal, fruto de mi imaginación? ¿Por qué lo percibo como miedo? ¿Qué amenazas me generan? ¿Es algo personal o colectivo? ¿Podrás prevenirlo? ¿Qué acciones harías si se concreta?

2.3. **Definir una estrategia para acotar el miedo/riesgo:** una vez identificado el miedo, identificar de lo general a lo particular cuáles serán las alternativas para combatir el miedo. Describir los pro y contra de implementar cada estrategia, el impacto y plan de mitigación requerido.

Preguntas guía: si tuviera todos los recursos, ¿cómo podría neutralizar este miedo? ¿Qué dependencias tiene? ¿Quién nos puede ayudar a enfrentarlo? ¿Qué necesitamos para que no vuelva la amenaza? de dónde viene este miedo? ¿Por qué lo percibo como miedo? ¿Qué amenazas me generan? Y si no tengo todos los recursos, qué variables puedo administrar y cuáles no, ¿de qué me valgo para obtenerlos?

2.4. **Transformar la instancia de miedo en una situación de aprendizaje y un plan de acción:** cuando logramos alejar los miedos entendemos que todo lo que podríamos haber perdido o dejado de hacer si alimentábamos nuestro miedo.

Preguntas guía: ¿cuánto tiempo perdí poniendo foco en los temores? ¿Qué dejé de hacer por concentrarme en los miedos? ¿Qué aprendí de mí, de la situación, de otros cuando pudimos soltar los temores? ¿Qué cosas distintas puedo hacer?

Paso 3: Atravesar Fronteras

En tan poco tiempo, existieron muchos temores para con Emma, dejando una tutela por si nosotros no regresábamos, una de las decisiones más difíciles de nuestras vidas. Ese impulso que nos llevó a que Emma tenga un hermano y encaminar un segundo proceso de subrogación, haría que, al momento de concretarse, tuviéramos que atravesar esa durísima experiencia, la de despedirnos, la de no saber si regresaríamos, la de dejar una niña sin padres, sin hermano. Cruzar fronteras implicaba un elevadísimo riesgo.

Todos los seres humanos desarrollamos fronteras, las de nuestro cuerpo, las de nuestro carácter, las del prójimo y las físicas y territoriales. Cruzar la frontera de nuestro país para Gestar un Bebé a 15.000 km de distancia en Ucrania, fue una de las fronteras físicas que atravesamos junto a otras fronteras mentales y emocionales que nos hizo posible ser papás.

Hoy día, Emma me dice que no quiere estar solita, le da temor los monstruos y los bichos, y yo le digo: los miedos y temores existen, hay que enfrentarlos con la convicción de que los vamos a superar, son peldaños de una escalera que hay que subir como la que subimos desde la estación de subte más subterránea en Arsenal en Ucrania.

METRO EN KIEV, ESTA FOTO REPRESENTA MUCHOS PENSAMIENTOS

Frankfurt

Sobrevolábamos Frankfurt, ya habíamos pasado **dos fronteras** por vía aérea (Argentina – Brasil), (Brasil – Alemania), más otras fronteras emocionales. En cada aeropuerto teníamos que explicar que el destino final sería Ucrania y lo crítico que era para nosotros este viaje, las miradas de asombro que recibíamos eran un indicio de que nos estábamos enfrentando a situaciones de alto riesgo.

Aterrizamos en Frankfurt luego del mediodía, sin saber nuestro próximo paso, el aeropuerto nos pareció inmenso, en aquella época mis emociones estaban sobredimensionadas. La prioridad era la búsqueda de adquirir una línea móvil, un chip sim, que nos conectara de una manera más simple en Europa, era de carácter imperiosa esta necesidad. Adquirimos dos sim, preguntamos si el sim europeo era válido para Ucrania y la vendedora nos informa que no era posible usarlo en Ucrania.

Muy en firme nos dijo: "Ucrania no es Europa, por ende el sim no funciona allí"

Alina, la gerenta de la clínica Biotex que habla español, ya se había retirado de Kiev, ella y su esposo habían salido de la ciudad y se encontraban temporalmente en Chernivtsí (en ucraniano: Чернівці́) es el centro administrativo del óblast de Chernivtsí al suroeste de Ucrania. Está ubicado en el curso superior del río Prut, un afluente del Danubio, en la parte norte de la región histórica de Bucovina que actualmente se divide entre Ucrania y Rumania.

Desde allí y en contacto telefónico nos dicen: Milan, vuestro hijo, ya está en Kiev. Tal como nos había informado en el aeropuerto de Buenos Aires, una familia había trasladado a Milan desde Zhytomyr a Kiev porque la ciudad había sido bombardeada y rodeada por Tanques Rusos. No había opción de quedarse allí. La única alternativa había sido contar con esa pareja que trasladó a Milan a Kiev, desde un lugar donde había bombardeos. Varios barrios en el camino hacia Kiev habían sido destruidos y empezaba a ser un punto focal y crítico de ataques.

Milan en Kiev y nosotros en Frankfurt. Estos momentos son similares a estar en cámara lenta, el tiempo se espesa, el aire se torna pesado, similares sensaciones han sido compartidas por personas en momentos críticos dónde deben tomar decisiones que los sacan de una situación y los llevan a otra. Al mismo tiempo se siente una sobredosis de estimulación seguramente producto de la adrenalina. Solo el alma calma apacigua estos instantes.

Próximos a trasladarnos, nos avisan desde la clínica que no podríamos entrar vía Polonia, que era nuestro plan, sino que lo tendríamos que hacer a través de la ciudad Siret, en Rumania, era la entrada a Ucrania más viable en ese momento. Una de las ciudades más antiguas de la región, capital del antiguo principado de Moldavia. La nueva ruta para seguir implicaba trasladarnos a Bucarest Rumania en avión, tomar el tren en Suceava al norte de Rumania, ciudad limítrofe con Ucrania y desde allí llegar a Siret por tierra para el cruce seguro de frontera hacia Ucrania, donde finalmente podríamos llegar a Kiev a encontrarnos con Milan.

Es así como tomamos el avión desde Frankfurt a Bucarest, no podíamos perder tiempo, ni descansar, debíamos llegar lo más pronto posible para estar con nuestro hijo. A las 21 horas partía el avión hacia ese nuevo país, Rumania y así cruzaríamos la tercera frontera por vía aérea.

Aterrizamos en el Aeropuerto internacional de Rumania Bucarest, eran casi las 23:00 horas, un tren local nos acercaría a la estación que nos llevaría a la frontera con Ucrania – Siret. Llegamos al tren, no podíamos expedir un ticket del tren local, el frío nos congelaba las manos y las piernas, veníamos ya cansados de un largo viaje … de tomar 3 aviones.

El guardia del tren nos dice en rumano: suban al tren. Nos subimos, teníamos cambio de 5 euros para el tren, nuestros tickets fue ese valor, para llegar a la gran estación. Un paso más, otra mini frontera estábamos por cruzar, llegar y pasar una noche en la estación hasta que salga nuestro tren hacia la próxima frontera.

PASO 3: ATRAVESAR FRONTERAS

Estación de Bucarest, Rumania

Eran ya casi las 00:00 a.m., con -8 Grados y -10 de sensación térmica. Teníamos hambre, mucho frío, sueño e incertidumbre. Nuestro tren a Suceava, pueblo del norte de Rumania límite con Ucrania, partía a las 6:55 am.

Nos preguntamos ¿vamos a un hotel a descansar? ¡¡No...!! había que comprar los pasajes, estar alertas para tomar el tren y llegar los más pronto posible a la frontera de Rumania y Ucrania.

En búsqueda de refugio, fuimos a la sala de espera de la estación. La sala estaba repleta de mamás con niños y familias que salían de Ucrania. Eran refugiados de guerra, especialmente gente grande y mujeres más jóvenes con niños, los rostros estaban apesadumbrados y carentes de emociones positivas, como anestesiados y en algunas caras adrenalina, no se veían hombres, pues se quedaban para luchar en la guerra. Madres que huían en búsqueda de una salvación y padres de familia que quedaban en Ucrania al servicio de su país y la guerra. Pasamos la noche ahí, un refugio que se utilizaba como un traspaso hacia otro país y ciudad donde pudiesen albergarse y ser atendidos. Fue un shock ver a esas familias allí alojadas a la espera de ser trasladadas a otro país o a la ciudad de Rumania para ser alojadas.

Un equipo de voluntarios se acercó y nos habló en rumano. Nos preguntaban por qué queríamos ingresar a Ucrania, qué nos movilizaba. Les explicamos que debíamos ir a Ucrania porque nuestro hijo estaba allí, y nos preguntaban, ¿deben entrar necesariamente? Y luego entendían que era la única opción, era simplemente lo más importante que nos tocaba hacer en ese momento de nuestras vidas.

A partir de allí sintieron compasión por nosotros, nos llevaron a una sala donde llegaban los refugiados de Ucrania, había comida y bebida caliente, mantas, colchones y sillas. Nos sentíamos inmersos en una película de guerra, veíamos salir mucha gente y llegar a otros con frío y desesperación. ¡Había tanta ayuda humana!, se nos ponía la piel de gallina; jamás olvidaré esos instantes.

Sentíamos vergüenza, porque nosotros no veníamos de la guerra, íbamos a entrar a Ucrania, no considerábamos tener ese derecho, sino que debíamos dejar lugar a todo aquel que saliera de Ucrania con una necesidad extrema de abrigo, comida y una bebida caliente. De todas formas, consideré ese lugar, como un refugio, no solo para el cuerpo, sino para el alma. En todo momento se nos acercaban voluntarios para preguntarnos cómo estábamos, a donde nos dirigíamos.

A la mañana siguiente, apenas amanecía, un voluntario nos trajo una bolsa con comida preparada y tibia. Luego de pasar la noche a la espera de la salida del tren hacia ese bello pueblo, donde el frío nos penetraba en las venas con bajísimas temperaturas, sin dormir, cansados y con mucha angustia y en shock por ver tanta gente saliendo de Ucrania y buscando un nuevo refugio, partimos a Suceava, pueblo límite con Ucrania, el paso se llama Siret.

Suceava, Rumania

El trayecto en tren de Bucarest a Suceava duró 5 horas. Durante el recorrido buscábamos, nerviosos, disponibilidad en los hoteles, no había. Mucha gente en la ciudad, las reservas de los hospedajes estaban destinadas para todos los voluntarios que venían del mundo, y principalmente de la misma Rumania y los ucranianos que elegían quedarse allí, aunque sea de paso. No había disponibilidad en ningún lugar.

En un hotel de la ciudad se encontraban Mariano y Angie, una pareja de valientes de Argentina, futuros padres de una niña que no había nacido aún, que tenían prisa por llegar a Kiev debido al temor a que cerraran la frontera. La ciudad ya estaba sitiada, y brisas de aprensión nos recordaban el avance del ejército ruso.

Mariano y Angie nos dieron el contacto de Alina, una ingeniera civil que como actividad secundaria junto a su esposo alquilaban su casa para hospedar a gente. Así fue como Alina gentilmente nos pasó a buscar por la estación de Suceava y nos llevó a su casa/hotel. Estábamos solos y al otro día entraríamos a Ucrania, vía Siret. También vendría otra familia, Gastón y Adriana, cuya hija había nacido el 6 de marzo, pero ellos todavía no habían llegado.

Alina nos albergó en su casa, que en esta oportunidad la ofrecía a voluntarios y ucranianos que salían de la guerra y también a las personas que visitaban ese hermoso pueblo fronterizo. Cada habitación tenía su baño, un cuarto de estar inmenso, una cocina preciosa, un jardín bellísimo, realmente era una casa donde nos sentíamos muy bien. Estábamos casi solos, en ese momento solo se hospedaba un voluntario que tenía reservada una habitación.

Tuvimos una charla con Alina, ella es ingeniera civil y trabaja para una compañía de la industria energética, igual que yo, así tuvimos una conversación interesante sobre formas de trabajar, pensar, vivir y tener sueños. Alina está casada con Daniel y tienen un hijo de 8 años, hablar con ella me abrió la cabeza a nuevas formas de ver las cosas, nos enseñó mucho. Cuando escuchó nuestra historia y todo lo que íbamos a hacer, nos brindó un importante apoyo a su alcance, nos conectó con su esposo, nos recibió como su familia, no como huéspedes, era algo que necesitábamos en ese momento, un refugio de hogar.

Conversar con gente de otra cultura, nos permite hackear estructuras y fronteras establecidas, generando conexiones y aprendizajes de importantes valores.

Siret, Rumania, el cruce a Ucrania

Estábamos en contacto permanente con Mariano y Angie, y se sumaría una pareja más a este grupo de gente linda y valiente, nos sentíamos fuertes, empoderados, energizados, entraríamos a Ucrania cuando todos querían salir de allí.

Al día siguiente tomamos un taxi rumbo a Siret. Partimos dos familias hacia la gran frontera. El conductor nos dejó a unos 300 metros de la oficina aduanera, y en ese pequeño trayecto, nos subimos a un camión con bomberos. Al costado de la ruta, había puestos sanitarios y de asistencia de muchísimas organizaciones mundiales, carpas blancas y amarillas, que estaban al servicio de toda la gente que atravesaba, con el corazón triste, esta situación.

Nosotros entrábamos caminando y todo el mundo salía de un país en guerra. Una sola fila para entrar y para salir, pero solo éramos cuatro personas ingresando. Empujando con el alma en esa cola de gente que deseaba emigrar, nosotros deseando entrar al país que nos permitiría ser papás por segunda vez.

Cruzar ese límite me recordó a las fronteras que tuvimos que atravesar para que en otro cuerpo se pueda Gestar nuestro hijo, un gran desafío corporal y emocional. Traspasar esa barrera divisoria entre países, implica superar muchas cuestiones, planes, riesgos, mandatos culturales y, sobre todo, en nuestro caso, el riesgo de vida.

Entramos caminando, todo lo que traíamos era la ropa que llevábamos puesta, alguna muda adicional, un abrigo, y lo más importante, teníamos cariño, amor, prendas y mudas para el bebé. Nuestras valijas y pertenencias las dejamos en la casa de Alina.

Chernivtsi, Ucrania, falta muy poco

Entrar en Ucrania, era como ingresar a la sala de parto en la que recuerdo que perdimos, mucho tiempo atrás, a dos bebés de cinco meses de gestación, donde no sólo mi vida estaba en peligro, sino la de Gabriel también porque entrábamos a un país en guerra.

Chernivtsi es la primera ciudad luego del puesto fronterizo, a unos 35 kilómetros de la frontera, es considerada como un centro cultural de Ucrania con cuarto de millón de habitantes, con varios shoppings y una cantidad importante de restaurantes. De alguna forma la guerra no había llegado todavía a este lugar, la gente todavía caminaba tranquilamente. La gente caminaba sin prisa y sin el frenesí de la preocupación, una sensación de estar fuera de tiempo. Seguramente al gestionar las fronteras emocionales también se hace presente el positivismo, disminuyendo al mínimo todo pensamiento negativo, lo que nos impulsaba a avanzar como si no hubiera dificultades. ¡Cuánta fortaleza emocional tiene el pueblo ucraniano!, días más tarde hubo bombardeos allí.

En esta ciudad ya éramos seis, con quienes viajaríamos a Kiev en tren durante toda la noche. Caminamos por una peatonal, compramos agua y leche para el bebé y algunos frutos secos para pasar el frío, no podíamos llevar mucho peso. También buscamos en un shopping un sim de celular que pudiéramos usar en ese país.

La palabra que definió muchas emociones en esta etapa de mi vida ha sido la incertidumbre, no saber cuál sería el próximo paso, no saber qué iba a pasar. En la vida, y en los proyectos, nos gusta avanzar sobre terreno firme, nos incomodan las sorpresas y cuando el piso se desmorona. No siempre es así, por lo cual **para desafiar la incertidumbre hay que avanzar, jamás quedarse quieto**. Cuando nos quedamos quietos, no podemos observar las soluciones que se encuentran fuera del alcance de nuestra "visión".

Nuevamente la pausa para un café en la tarde, antes de que salga nuestro tren a Kiev, el aroma es fuerte, condensado, hacía frío, así que esos cafés fueron un banquete. Ucrania es un país muy conocido por la cultura del café, tienen su origen gracias a la introducción por Turquía varios siglos atrás, por lo cual es habitual observar la influencia turca, café espeso y brumoso.

El mismo día que cruzamos la frontera, a las 9 de la noche salía el tren para Kiev donde nos esperaba Milan, nuestro hijo.

3. De esta forma, los grandes grupos de acciones y actividades que realizamos, las enmarco en:

   3.1. **Anticipé las fronteras que atravesaríamos**: aunque implicara que la anticipación, fueran unas horas antes de iniciar el próximo paso o bien meses o años. Hay que ser flexibles, planificar, ordenar, pero ser flexibles a la hora de tener que cambiar.

3.2. **Prioricé las fronteras que atravesamos**: esto implicó focalizarme en aquellos límites que debía superar, pasar, atravesar: las culturales, mentales, físicas, emocionales.

3.3. **Definí los planes de acción**: tenía un gran plan de más de 600 líneas, pero al llegar al 95% de avance se desata la guerra, un nuevo plan. Durante el viaje y la búsqueda de Milan, tuvimos que cambiar nuestros planes de manera ultra Ágil, día a día, hora a hora.

3.4. **Implementé los planes de acción**: estos planes de acción eran desde los más planeados con un horizonte de tiempo más prolongados hasta los que fijábamos diariamente u hora a hora al atravesar momentos críticos.

Reflexiones

En enero del año 2022, con el invierno en Europa y la epidemia de COVID en el mundo, planeamos un viaje para estar en marzo en Ucrania, para ir a buscar nuestro hijo. En agosto del año anterior, se había producido el tratamiento de Subrogación de vientre, y a partir de octubre nos preparábamos pidiendo al universo que cuidara a la Gestante y a nuestro bebé.

El 24 de febrero del 2022, en el octavo mes de gestación de Milan, Rusia invade Ucrania produciendo una de las guerras más significativas de este siglo. No se trató de una acción al azar, llevaban muchos años de roces producidos por el acercamiento a occidente de países limítrofes con Rusia.

TODOS nuestros planes cambiaron, rutas, pasajes, documentación legal exigida, miedos. El plan de mi esposo y mío era ir a Ucrania a buscar a nuestro hijo Milan junto a Emma, su hermana, nacida también en Ucrania por subrogación de vientre, pero en el año 2019, antes del COVID. Todo cambiaría, inclusive preparamos documentos legales de custodia y seguros para cuidar a nuestra hija si algo nos pasaba.

Jamás pensé que iba a presenciar una guerra, o sentir bombardeos mientras viajaba en tren durante la noche, o durante nuestra estadía en Kiev o los 600 km de regreso que hicimos en ruta, que mi hija pudiera perder a sus padres, como yo perdí a mi padre cuando tenía apenas 9 años. La guerra es un sinfín de emociones que hacen plantearnos severamente nuestro humanismo. Nos encontramos preocupados por tantas actividades que se solucionan fácilmente cuando las comparamos con situaciones drásticamente distintas.

En estas situaciones de emergencia, hay que administrar inteligentemente todos los recursos que uno tenga. Mucha gente nos escribía y se apiadaba de nosotros, nos decían centenas de personas: "no saben cuánto estamos pensando en ustedes en este momento".

Recuerdo a Adolfo Di Franco, responsable por Recursos Humanos en una empresa de Brasil de energía eólica, el primero que me escribió con pena por nosotros, él conocía Ucrania, la bella Ucrania previa a la guerra, y sabía lo que implicaba entrar allí.

Mi jefe actual al cual le debo mucho el acompañamiento que nos brindó, fue como un hermano que estuvo presente todo el tiempo, hasta encomendó sus oraciones a su amigo Guillermo, ya fallecido, un padre en proceso de beatificación. María Eugenia Huergo, responsable de relaciones de Negocios y cultura en PAE, me acompañó en cada momento, ofreciendo ayuda y acompañamiento, a nuestra familia, a mis amigos, al personal de cancillería y embajadas.

Sé que ellos fueron los puntos de contacto, pero atrás de ellos, y para que las comunicaciones no sean abrumadoras, eran los puntos de contactos con todo el personal de PAE.

Con esto rescato lo importante que es el acompañamiento de la red de colaboración de tu ámbito laboral. Es lo más valioso que uno puede cosechar en toda tu vida, sean tiempos de paz o de guerra tal como lo viví. Ser flexibles como líderes nos hace más fuertes, poder dar un cambio de timón.

Agradezco a PAE, a todos sus directivos a Marcos Bulgheroni, Juan Martín Bulgheroni, Alejandro Bulgheroni, a Rodolfo Berisso, grandísima persona y profesional del cual aprendí mucho y pude aplicar lo aprendido en este proceso, a Marcelo Gioffre, Romina Cavanna VP de RRHH a quien respeto como profesional y mujer aguerrida para lograr sus sueños, a Juan Aranguren, a Diego Maffeo, Sandra Vaimberg, María Eugenia De Candia y tantos otros cuya frecuencia y su buena vibra nos llegaba a cada instante. También a muchos líderes que me han enseñado el buen liderazgo en todas las empresas para la cual trabajé y trabajo: a Martín Méndez, Sergio Donzelli, Guillermo Rucci, Federico Tagliani, Claudio Muruzabal, Marcela Losa quien hoy comparto una linda amistad, Silvia Mazzeo, Claudia Mucarcel y muchos directores a los cuales les debo las lecciones de liderazgo.

A Cancillería, a la Embajadora de Argentina en Ucrania, al cónsul de Argentina en Ucrania, al personal de la embajada de Austria, a Carlos María Vallarino de la Embajada de Argentina en Rumania, quienes nos asistieron desde el momento que tomamos el avión camino hacia Ucrania.

A mi familia, a Claudia Bravo y mi madre que cuidaron día a día a Emma, a su tía Valeria Riccardo y primos Aitor Zalazar y Rufina Zalazar, a José Zalazar, por acompañarla los fines de semana, a mis amigos, al grupo "La Granja", mis primos y vecinos.

A las Gestantes Catherina e Irina, las dos mujeres de corazón más grande que tocaron mi alma estos últimos años y estarán junto a mí el resto de mi vida.

Al grupo de padres de Biotex con quienes nos unimos para llegar a formar una familia con mucho amor y dedicación animándonos en estos grandes desafíos.

Y es así como contar con la red de colaboración es importantísimo para cruzar fronteras.

Y también al momento de decidir cruzar mi frontera de Gestar un hijo fuera de mi cuerpo fui ayudada por médicos, agradezco todo el soporte que recibí de Carlota Lucini y Florencia Inciarte, de los abogados de Derecho Internacional consultados para evacuar todo tipo de dudas sobre cómo iniciar el proceso, de mi psicóloga Mariela Rossi, de mi escribano Horacio, quien nos ayudó a formalizar papeles, de los médicos de Biotex y tantos otros que fueron eslabones primordiales para lograr nuestro sueño. Al grupo de padres con los cuales formamos una comunidad de padres de hijos subrogados.

A personal bancario Sonia Malisani, una excelente profesional y persona que me asistió en todo tratamiento que tuve que hacer en el banco.

Y ahora te invito a que reflexiones, si quieres alcanzar tu sueño y estás en una situación de confort, sabes que debes atravesar la frontera de los miedos, fronteras físicas, culturales, y de todo tipo que imagines o no.

Te prometo que vas a aprender muchísimo y vas a atravesar la frontera del crecimiento, y también te aseguro que crecerás y exponencialmente.

¿Qué fronteras conscientes e inconscientes piensas que debes cruzar?

Método Gestar: Atravesar Fronteras

Cruzar una frontera es salir de la zona de confort adentrándose a un área fuera de nuestros límites. Las fronteras son conjuntos limitados por el Ser humano, es nuestro desafío llegar a la frontera, pararnos sobre ella y atravesarla, pues son delimitaciones que, a la hora de desear lograr tus objetivos, hay que traspasarlas.

El filósofo español Eugenio Trías (1942-2013) considerado como el pensador de la escritura hispana más importante desde Ortega y Gasset, se centró en los límites del mundo, así fue como en una de sus obras propone que una filosofía del límite se construye sobre una filosofía ilimitada, sin límites, infinita y desmesurada. Estudia que el ser humano tiene límites en su nacimiento y en su muerte, pero durante su vida existen infinidad de zonas ilimitadas entre el Ser y la Nada, entre el Ser y sus sombras. Trías propone al hombre como habitante de la frontera, como fronterizo; el hombre se haya siempre referido a ese límite que tiene.

Por eso me detengo en la palabra "frontera", es un límite, es un lugar o situación que se encuentra "frente a". Hay una vasta clasificación: espiritual, física, emocional, financiera, pero la más importante es la que denomino "cercana". Es fácil determinar los límites de algo lejano, pero pareciera que es borroso a medida que nos acercamos.

Esto se produce porque son líneas imaginarias, dinámicas, flexibles, cambiantes, y cuando estamos cerca nos cuesta observar. El siguiente gráfico fue realizado utilizando un programa de inteligencia artificial llamado *Mid Journey*, mi objetivo es explicar que no podemos ver lo que hay detrás de la montaña si no avanzamos. Debemos estar en movimiento, cruzando continuamente fronteras, espacios y límites.

En esta metodología, este paso es dirigido por la razón, pero encontramos límites irrazonables.

Ante cualquier duda, primero nos negamos. Es más fácil decir "no puedo" que "lo haré", por lo cual quiero poner foco en avanzar de manera prudente cuando estamos cerca, y acelerada cuando estamos lejos.

> *La similitud la podemos imaginar con una nave espacial que se envía al espacio para acoplarse con la estación espacial internacional, en inglés International Space Station ISS ubicada en la órbita terrestre gestionada por cinco agencias, Canadá, Europa, Japón, Rusia y Estados Unidos. ¿Por qué menciono este ejemplo? Pues era una situación de ciencia ficción en el siglo pasado, apenas comenzaba la industria automotriz y la aeronavegación y ahora observamos con naturalidad a empresas privadas yendo a la conquista del espacio. Pues bien, primero hay que despegar con fuerza para luchar contra la fuerza de gravedad, segundo hay que trasladarse con velocidades de miles de kilómetros por hora, pero al momento de acoplarse lo hacemos con detenimiento, en cámara lenta, apenas una variante de centímetros puede ocasionar un desastre.*

¿Te hace sentido la referencia? Atravesar las fronteras marca el impulso de la velocidad de un proyecto. ¿Y por qué me interesa remarcar la velocidad? Pues es muy distinto tomar una decisión teniendo tiempo que a las apuradas o en sentido de urgencia.

En las decisiones que tomas en sentido de urgencia estás sin margen para el error. Son situaciones que originan emociones que provocan un alto nivel de stress y cortisol, exigen altísimos estándares de decisión basados con la Razón, pero sin dejar el Corazón y la Intuición.

A nivel corporativo, lo podemos pensar como fronteras culturales o sectores individuales construidos como silos, sin tener una gestión de principio a fin. En muchos casos, aunque la corporación sea grande, requiere repensar como Start Up, volver a pensar, simplificar y que fluya el principio a fin (end to end). Requiere más actitud que aptitud. Bueno, en lo personal pasa exactamente lo mismo, es cuestión de Actitud, la aptitud se va adquiriendo, frase que mantenemos con un excolaborador Juan Pablo Ivanier.

3. Los pasos para Atravesar Fronteras se enmarcan en:

   3.1. **Anticipar las fronteras que vamos a tener que atravesar**: entendiendo por fronteras los límites que tendremos que traspasar para avanzar con el proyecto. Pueden ser físicos, culturales, financieros, técnicos, o mentales.

   Preguntas guía: ¿qué tipo de fronteras tendremos (personas que se oponen, inversiones que nos aprueban, áreas que no colaboran entre otras)? ¿En qué instancia del proyecto las podríamos mapear?

   3.2. **Priorización de gestión de fronteras**: con la información de las fronteras vamos a priorizar aquellas que nos brinden mayor beneficio o que estemos obligados a traspasar.

   Preguntas guía: ¿qué escenario presenta la mayor dificultad? ¿Qué escenario no es relevante y no debe ser considerado? ¿Qué escenario es crítico de atención por el nivel de beneficio que aporta? ¿Qué escenario estamos obligados o dispuestos a alcanzar?

3.3. **Definir planes de mitigación para encarar las fronteras conocidas**: para las fronteras que fueron identificadas, podremos definir esquema de contingencias para atravesar cada frontera, las acciones, responsables y plazos a ser implementados y por sobre todo una red de colaboración que piense más allá de los límites en los cuales se desempeña, vive, gestiona.

Preguntas guía: ¿cuáles son las fronteras identificadas? ¿Qué tipo de complejidad representa cada una? ¿Qué necesitamos para encarar cada frontera? ¿Cuáles son los planes de acción que podemos proponer para anticipar el impacto? ¿En qué momento es recomendable implementar la mitigación y cuál será la duración? ¿Quiénes nos pueden ayudar fuera de esas fronteras, o atravesarlas?

3.4. **Implementar los planes de mitigación para atravesar las fronteras**: es en base al plan definido, Autoasignarte tareas y convocar a las personas designadas y solicitarles la implementación y seguimiento de los logros bajo la modalidad que consideren más efectiva.

Preguntas guía: ¿cuáles son los desafíos que presenta el plan? ¿Cómo y quiénes pueden colaborar para remover los obstáculos? ¿Cuáles son los beneficios obtenidos?

Paso 4: Transitar el camino

MARIEL ZOCO

Paso 4: Transitar el camino

En la ciudad de Chernivtsi adquirimos seis tickets de tren para ir a Kiev, un trayecto de 550 kilómetros, que se pueden hacer en 8 horas de auto, 12 horas en tren, y que finalmente lo hicimos en más de 19 horas, debido a las paradas del tren, por los bombardeos.

Subimos sin tener asignado un camarote en particular, sólo el vagón, y nos íbamos ubicando a medida que llegábamos. En un camarote se alojaron las otras dos parejas que también irían a buscar a sus hijos, Mariano, Angie, Gonzalo y Adriana. Con Gabriel nos tocó compartir el camarote contiguo, con dos mujeres: Yura y su hija Sofía. Yura significa vida, ambas fueron de gran ayuda. Ellas iban a Kiev, donde tenían un departamento, y se ofrecerían como voluntarias, su misión sería ayudar y colaborar con toda la gente en situación de guerra que necesitara asistencia.

Empezamos el viaje, era un tren de los años 40 o 50, muy antiguo, tenía camarotes de cuero gastado, y cortinas cerradas para evitar el reflejo de las luces del exterior, el color marrón antiguo de los vagones inundaba todo el escenario del viaje. Con una estimación de 12 horas de recorrido, esperábamos llegar entre las nueve y diez de la mañana.

¿Por qué hacer este trayecto en tren? Porque se habían acordado, entre Rusia y Ucrania, pases humanitarios por vía ferroviaria, por ello nos lanzamos a transitar esta opción de recorrido. Y como todo tránsito de un lugar a otro, nos daba la oportunidad de adecuarnos al cambio, de tomar un café, de hablar, pensar, sentir, vivir, de experimentar, reflexionar, relacionarnos con otros, trabajar en equipo física o virtualmente.

Estábamos muy contentas las tres parejas, pero anestesiadas de a ratos debido a la incertidumbre. Le contamos a Sofía y a Yura a donde íbamos, porqué viajábamos, nos sirvió para ordenar las ideas.

YURA MIRANDO POR LA VENTANILLA DEL TREN

Muy paradójico ir a la ciudad de un país en guerra, y al mismo tiempo transitar al camino al encuentro con la vida, nuestro hijo. Nos compartieron un té caliente de manzanilla, que nos ayudó mucho a tranquilizarnos. En el tren había un vagón comedor donde se proveían saquitos de té, lo podías comprar con la ayuda de una persona que hablara el idioma. Había también un baño donde nos podíamos higienizar, obviamente en medio de la pandemia de COVID teníamos extremos recaudos.

Compartimos con estas hermosas personas nuestra historia, por qué estábamos entrando a Kiev y fue en ese momento cuando surgió en la conversación la pregunta ¿cómo planean volver? Algo que aún no teníamos los detalles. Claro que ya no volveríamos solos, sino que, con un bebé de días, en medio de un clima muy frío. Nada nos aseguraba que podríamos volver. A la ida íbamos varias parejas en tren, pero la vuelta iba a ser con un bebé, muy chiquito, con ocho grados bajo cero, donde tampoco sabíamos si sería posible viajar.

Ya habíamos sorteado la dificultad de entrar a Ucrania, pero ¿cómo haríamos para salir junto a millones de personas que también deseaban salir de Kiev? Se nos presentaba otro desafío.

Hablando con Sofía, en un inglés no nativo para ambas partes, nos cuenta que su padre vive en Estados Unidos y que tenía experiencia para recomendarnos alternativas que nos permitieran salir de Kiev y volver.

La vida nos sorprendió en una trayectoria donde uníamos lugares de todo el mundo. En este caso una persona ucraniana que ayudaba a una pareja de argentinos, que se trasladaba a Ucrania en un tren en medio de una guerra y pedía consejos a su padre que residía en Estados Unidos. Ella hizo un llamado al papá y nos recomendó volver a viajar en tren. En marzo los trenes de salidas humanitarios estarían disponibles todos los días en un preacuerdo con Rusia, para que la gente pudiera evacuar Kiev. La mitad de la población ya se había ido. De los 4 millones de habitantes de Kiev, más de dos millones habían dejado la ciudad.

Aparece el cansancio, estábamos exhaustos, nos quedábamos dormidos, mucha adrenalina, miedo, incertidumbre, demasiados "no saber qué se venía". Íbamos al encuentro con Milan, eso era lo que nos mantenía energizados, ansiábamos ese momento, lo imaginábamos una y otra vez. Mientras tanto no dejábamos de pensar en Emma, ¿qué estaría haciendo?, ¿nos extrañaría?, ¿cuándo volveríamos a verla y abrazarla?

A eso de las 4 de la mañana el tren se para, abro los ojos y veo que la puerta del camarote estaba cerrada. El tren se había frenado, quedó detenido y a lo lejos, sin saber cuán lejos era, se escuchaban bombardeos. Acostados todos en cama cucheta, mirando la puerta cerrada del camarote, noche oscura, ruidos a lo lejos, se nos erizó la piel. Esa es la vida de los proyectos en determinadas circunstancias, cansancio, preguntas, adrenalina, miedos, y en el medio de la noche ver puertas cerradas. En estos casos hay que esperar. El tren estuvo parado dos horas.

Finalmente nos enteramos de que estábamos pasando por Lviv, que en español se dice Leópolis, y habían comenzado los bombardeos, con lo cual el conductor del tren había recibido la orden de no seguir avanzando. Esta ciudad, a 40 km de la frontera con Polonia, en el sector oeste del país, donde Rusia busca seguramente amedrentar el espíritu ucraniano y debilitar la logística, es la sexta del país, sufrió importantes bombardeos. Pasado el peligro, el tren siguió en marcha, pero con una marcha muy lenta, no sé el porqué, pero me hizo recordar el ruido de las olas del mar al romper la orilla, ese vaivén de las fuerzas de la naturaleza. Luego de esas dos horas de espera, fue difícil conciliar el sueño, y cuando comenzó nuevamente a avanzar, pudimos apenas dormitar. Pasamos por muchas ciudades, mirando cómo estaba la gente, todo sucedía en cámara lenta, seguramente el maquinista iba chequeando el estado de las vías del tren, posiblemente debido a los protocolos de seguridad y precaución, por posibles bombardeos, o por circunstancias que pudieran haber afectado las vías.

Nos despertamos a la mañana, el tren seguía avanzando muy lentamente. El objetivo era llegar a Kiev, abrazar a Milan y volvernos ese mismo domingo. Finalmente llegamos, el reloj marcaba las 3 de la tarde y la decisión ya estaba echada. Ese día no íbamos a poder volver porque el próximo tren volvía a las 9 horas, era muy poco tiempo para buscar a Milan y alcanzar el tren de regreso. Basados en la Razón, Corazón e Intuición, tomamos la decisión de que volveríamos en auto al día siguiente, con todo lo que ello implicara, las rutas no eran pases humanitarios acordados entre Ucrania y Rusia.

Los caminos recorridos

Lo que nos tocó vivir me lleva al pasado, a los tantos tránsitos o viajes que hemos realizado. Muchos viajes recorridos, algunos con éxitos como los de Emma, una promoción laboral, carreras o posgrados realizados y otros con no tan buenos resultados.

Historias pasadas y deseos de formar familia truncados, que muchos pueden asociar al fracaso, como si lo contrario al éxito fuera el fracaso, cuando en realidad, lo contrario al éxito es quedarse quietos. Escuché en los meses que escribía este libro una entrevista a un deportista que no había conseguido el triunfo de su equipo, y cómo un periodista le preguntaba si lo consideraba un fracaso. Me encantó su respuesta que aquí resumo: "¿Acaso Michael Jordan que jugó 15 temporadas y ganó 6 campeonatos puede considerar los otros períodos como un fracaso? No, el fracaso es no intentarlo; no se puede hablar de fracaso cuando uno lo intenta". Es así, en los deportes, en el trabajo, en la vida, en la paz, en la guerra, en los momentos de desasosiego, zozobra, algarabía o estruendo, transitar del camino se trata de estar en acción.

La vida es eso, moverse, transitar, observar, vivir, sentir emociones y por sobre todo crecer como seres humanos. No te paralices, intenta, muévete, busca tus sueños, si ahí no es, están en otro lugar, busca incansablemente.

Jorge Luis Borges decía *"Todo lo que nos sucede, incluso nuestras humillaciones, nuestras desgracias, nuestras vergüenzas, todo nos es dado como materia prima, como barro, para que podamos dar forma a nuestro arte"*.

¿Cuánta materia prima para elaborar nuestra propia escultura, nuestro propio arte?

Si nos adentramos a la posibilidad que nos da el universo podremos moldear nuestras vidas y moldear nuestro propio arte como lo hizo Leonardo Da Vinci.

4. Sintetizando estas grandes experiencias, puedo enmarcarlas en los grandes sub pasos que dimos en este gran paso: el de Transitar el camino y dejar trayectoria:

   4.1. **Tracé el mapa de ruta**: tenía claro cuáles eran los puntos de llegada desde que partimos desde Argentina, aun cuando muchas veces tuvimos que recalcular.

   4.2. **Asigné plazos a los hitos del plan**: necesitábamos saber con cuanto tiempo disponíamos para cumplir con el itinerario y no demorar nuestro encuentro con Milan.

   4.3. **Definí responsables**: principalmente mi marido y yo y luego toda la red de colaboración.

4.4. **Me mantuve en el camino y corregí los desvíos**: la guerra nos iba cambiando la dirección del trayecto e íbamos ajustando.

Método Gestar: Transitar el camino y dejar trayectoria

Transitar es avanzar, es trazar nuestra trayectoria, pasar de un lugar a otro, el diccionario de la Real Academia Española pone énfasis en pasar por la vía pública. Es decir, estamos hablando de una exposición frente a otros de nuestra trayectoria e incluso una exposición frente a nosotros mismos y otros.

En las trayectorias surgen las preguntas. Cuando decimos que tenemos un desafío es que ya conocemos la pregunta que lo originó, pero cuando tenemos preguntas sin responder se convierten en situaciones difíciles de resolver.

En tu paso, en tu trayecto actual, ¿cuáles son los pasos que estás dando? ¿Son nuevos? ¿O intentas moldear la piedra con la misma herramienta? ¿Consideras que puedes cambiar de trayecto, tomar una colectora, una avenida tan ancha como la 9 de Julio de la Ciudad Autónoma de Buenos Aires, una ruta, un paso fronterizo?

¿Qué recursos estás utilizando?

¿Te palancas en consejos, o también decidís con tu propia intuición los recursos a utilizar? ¿Te centras en la razón, basada en estadísticas y resultados y también en tu corazón – deseo y en tu intuición? ¿Qué te dice tu energía?

No te frustres, quizás no tengas las respuestas, quizás no sea el momento, pide, desea y deja que el universo te hable y te muestre señales del camino a seguir. Confía que el proceso es un canal del cual mucho no sabemos, pero seguro que, si tu deseo está, llegarás.

4. Los pasos para Transitar la Trayectoria se enmarcan en:

- 4.1. **Trazar el mapa de ruta**: plasmar nuestros pasos en un mapa permite visualizar las instancias que nos conducirán al objetivo final. Un mapa es mucho más vasto que un plan, son los grandes hitos que deben estar presentes para que la ruta nos lleve a destino.

    Preguntas guía: ¿qué instancias cronológicas o no cronológicas deben tener lugar y ser mapeadas? ¿Cuáles pueden ser realizadas en paralelo? ¿Cuáles de esas instancias son hitos clave? ¿Cuáles de los hitos tiene interdependencia y con qué o quién? ¿Estas preparado a cambios de rumbos intermedios? Pues el plan puede requerir salirte de tu plan y tu ruta para luego encauzarte al destino final.

- 4.2. **Asignar plazos a los hitos del mapa**: una estimación de tiempo nos permite conocer la duración del proyecto, independientemente si gestionas en modalidad Waterfall o Agile u otras. Tendremos situaciones que conocemos y de fácil estimación y habrá otras desconocidas para las que haremos nuestra mejor propuesta.

Preguntas guía: ¿en qué periodo de tiempo debe realizarse cada hito? ¿Qué impacto tendría un hito si no se cumpliera, y cuáles de los hitos generan el mayor obstáculo para continuar? ¿Qué escala de medición usaremos para saber si estamos avanzando o estamos estancados?

4.3. **Definir responsables:** la distribución de tareas te permite dividir y simplificar, si cada uno toma una parte del plan, y principalmente declara hacerse cargo, cuando juntes las partes tendrás gran parte del camino transitado. Esta actividad involucra personas, mucho para considerar porque son el pilar de todo lo que hacemos.

Preguntas guía: ¿saben quiénes son convocados hacia dónde vamos? ¿Cuento con las personas idóneas y motivadas para asumir su responsabilidad? ¿Qué otras habilidades necesitan incorporar los integrantes? ¿Conozco en profundidad lo que requiere cada actividad y qué persona pueda asumirla en base a su conocimiento, experiencia e interés para hacer un match perfecto? ¿Cómo evitamos la sobrecarga o el multitasking? ¿Cómo generamos compromiso sostenible? ¿Queda algo librado al azar? ¿Las personas están funcionando como equipo? ¿Necesito un líder? ¿Necesitamos empoderarnos a nosotros mismos?

4.4. **Mantenerse en el camino y corregir los desvíos**: al igual que toda ruta que transitamos por agua, tierra o aire, es necesario volver al rumbo cada vez que nos salimos del camino. La calidad de planificación y previsión se pone a prueba cuando transitamos el camino. Todo lo que anticipes lo ganarás al momento del seguimiento. Corregir es parte del andar y cuando trabajas con otros, requiere de altos niveles de comunicación.

Preguntas guía: ¿Qué actividades no están en el estadio esperado? ¿Cuánto es el desvío en términos de tiempo? ¿Cuál es el impacto del desvío? ¿Qué acciones son requeridas para mitigar el impacto? ¿Quiénes deben ser comunicados de los desvíos, impacto y acciones correctivas?

Paso 5: Autogestionar

Llegamos a Kiev, y un señor enviado por la clínica nos estaba esperando en la puerta del vagón con su camioneta blanca. Nos llamó por los nombres. Nos hizo señas, pues no hablaba ni inglés, ni castellano, ni francés, y nos hizo subir a la combi. Estábamos avisados de que así sería. Teníamos muchas emociones, mis latidos de corazón iban a 1000 km por hora, una sensación de alegría por el encuentro, temores y adrenalina corrían por nuestros cuerpos.

Nos agrupamos las 3 parejas, y comenzamos a adentrarnos en esta hermosa ciudad de Kiev donde habíamos estado años atrás en dos oportunidades. Había cambios, muchos cambios, ya no estaba tan hermosa, pero si tenía lo más hermoso para nosotros, a Milan. Era como ir a buscar una esmeralda en un campo lleno de minas, de espacios muy riesgosos.

Barreras en las calles, muchas vallas que evitaban que en la ciudad de Kiev entren los tanques o que circulen vehículos a una velocidad que podría considerarse peligrosa. Las vallas eran de diferentes tipos, fierros cruzados para que los tanques no avancen, o bolsas de arena formando grandes barreras, o barras de cemento atravesando las calles; y alrededor personal militar o civil protegiendo cada punto, cada acceso crítico. Todo era gris, todo era tierra y todo era de un color más tétrico. Entendí en ese momento porqué Steven Spielberg había decidido filmar la película de guerra *La lista de Schindler* en blanco y negro, pues así es la vida en la guerra, el color desaparece. Pasamos por más de 10 puntos de chequeo y control militar. Nos pedían pasaporte, nos preguntaban de dónde éramos y hablaban en código con el conductor para darle las claves de circulación.

Recordábamos a Kiev tan bella en nuestra retina y en nuestro corazón de nuestra última visita cuando fuimos a buscar a Emma. Una ciudad tan hermosa, tan colorida, llena de iglesias y monasterios ortodoxos, un olor a una vieja Rusia, pero con gran deseo de occidentalizarse.

Los puentes de acceso a la ciudad habían sido rotos por los propios ucranianos, para evitar que ingresen por vía terrestre y de manera fácil, aunque posteriormente empezaron los ataques aéreos y el sobrevuelo de drones. La realidad hubiese sido muy diferente si la ciudad ya hubiera estado tomada. Hasta ese momento y al momento de escribir este libro, no está tomada, lo cual nos permitió ingresar.

Este era otro de los temores: "no poder llegar". Angie y Mariano quisieron entrar a pesar de que su hija no había nacido todavía, por temor a que luego no pudieran llegar. Estábamos en comunicación con varias parejas que estaban por tener bebés o habían tenido bebés durante marzo. A esta altura había nacido, la hija de Gonzalo y Adriana, el 6 de marzo, el día del cumple de Emma, nuestra hija.

Llegamos a la clínica, nos urgía que ya tuviesen la renuncia de la Gestante, algo que le preguntábamos todo el tiempo a Alina. Es un paso formal que exige el proceso de legalización de acuerdo con la ley ucraniana. Buscamos los papeles tanto de la historia clínica como los legales del proceso de subrogación de Milan.

Finalmente ingresamos al complejo de Sofía, un complejo de departamentos en un edificio de varios pisos, de color ocre por fuera, y colores claros por dentro, donde nos alojaríamos y nos encontraríamos con Milan. Santa Sofia es la patrona de Kiev, y este edificio de la clínica es donde se encuentran las viviendas donde se alojan los matrimonios. En tiempos normales de paz cada familia residía allí con el bebé hasta garantizar los trámites de pasaportes y que el bebé pueda viajar seguro. En el subsuelo, similar a un búnker, están una sala de guardería y una enfermería donde se cuidan a los bebés, y se encuentra el comedor.

Teníamos hambre, frío, nuestros músculos y cuerpo se encontraban extenuados, también dolor emocional y espiritual debido al choque de emociones en forma continua; por otro lado esperábamos conocer a Milan y teníamos felicidad por haber llegado al edificio. Estábamos a momentos de conocer a nuestro hijo. Todo era incertidumbre, temor a los ataques, y la ansiedad de saber que nuestro hijo estaba allí, en un subsuelo a la espera del abrazo más soñado. Leí una vez que el cuerpo humano tenía aproximadamente doscientos huesos, bueno, ahí, ese día, sentí lo que significa que cada uno de ellos se resquebrajara emocionalmente.

Sólo recordaba que la Gestante, el día de su nacimiento, había grabado el parto. Fue impactante, al igual que la foto de Milan en la balanza. Tenía esa foto, me encantaba ver las arrugas de sus manos y pies, y su hoyuelo el cual sería el sello grabado en mis ojos al volver a verlo.

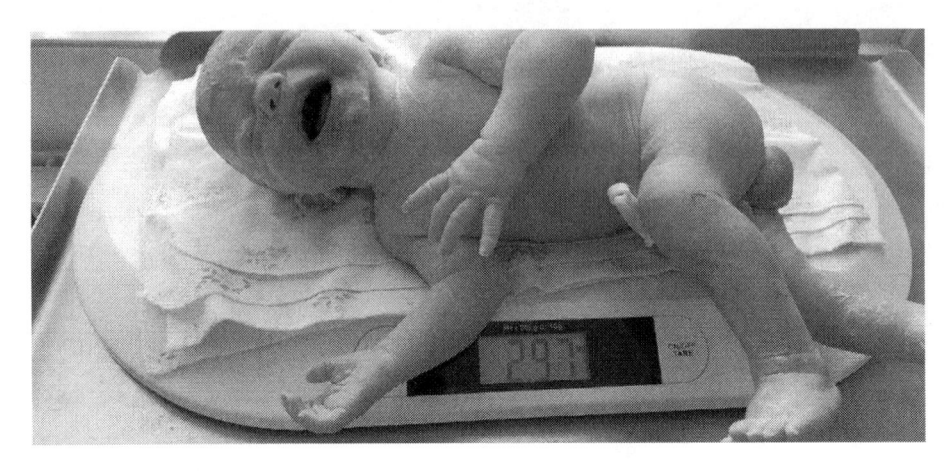

Su boca inmensa del llanto, en una ciudad con frío que estaba siendo bombardeada, llegaba a un mundo de una manera transformadora, disruptiva.

No quiero detenerme en hablar más del conflicto, era ajeno a mi control, algo externo, pero fue y es por momentos algo muy inmerso en mi interior. Lo importante es que Milan vino al mundo a traer vida, esperanza y amor del bueno, porque es un hijo deseado, soñado, buscado, amado con todas nuestras entrañas y nuestras almas.

El poder de la autogestión

Sólo los que han transitado un camino de altos y bajos en búsqueda de una familia, con decenas de intentos, saben lo que implica. Así como todo aquel que ha transitado tantos intentos para alcanzar resultados en sus trabajos y en su vida personal y profesional. Esto implica tener hábitos que a pesar de los altos y bajos te permitan ir pasando los pasos de esta travesía, aunque a veces requiere volver para atrás algunos pasos y volver a comenzar.

Paso 5: Autogestionar

Abrir la cabeza, el corazón y la mente, salir de los caminos tradicionales, aquellos fuera de la caja, los que no imaginamos, los que no sabemos que existen, son los caminos que necesitamos para llegar a nuestro propósito.

Tuve muchas conversaciones con personas que en su mente, la subrogación era un proceso extraño, raro, desde su perspectiva nos sugerían la adopción, y es sabido que en Argentina es un proceso muy largo y lleno de dificultades que impide que los niños que necesitan una familia puedan tener quien los reciba. No voy a adentrarme en estos aspectos, claramente hay diferentes visiones, deseos y barreras que se transitan, hay que escuchar todas las voces, pero principalmente tienes que escuchar tu voz y la de tu pareja.

Hay familias que esperan décadas para obtener una adopción y la ley aún no protege esa paternidad, la de la patria potestad. Es importante entonces analizar detenidamente la subrogación, cuando el intento de que tus genes de al menos uno de los padres estén presentes en el bebé, así lo exige la ley ucraniana.

Requiere de mucha autogestión, de uso de la razón, del deseo, de estructuras fuera de lo que la mente puede pensar en función de los patrones y estructuras que fuimos tomando desde niños.

Cuando pensé por primera vez en la posibilidad de subrogación, venía de varios bebés perdidos, los más intensos fueron los mellizos de 5 meses de gestación, estuvieron tan cerca, luego conocí un fondo muy profundo mientras tenía que día tras día continuar mi vida. Posteriormente, apareció la posibilidad de otro intento, otro gran desafío; mi gran amiga y hermana de la vida Andrea Flores, me había ofrecido su vientre para subrogar. ¿Quién ofrece eso? Solo un corazón grande con un alma pura puede tener tanto amor y apertura.

En paralelo, podíamos volver a intentarlo dentro de mi cuerpo, pero algo me decía que no, algo me decía que mi cuerpo ya había dado su voz para expresarse, que ese no era el medio para ser mamá. **Saber decir que NO** es fundamental para autogestionar cualquier deseo, proyecto.

Luego de aquel tan mágico ofrecimiento, pasó un año, me siento frente a la doctora con la cual encaminaría otro proceso de fertilidad y le dije: "Carlota, mi cuerpo y mi intuición y mi razón me dicen que ya estoy preparada para un proceso de gestación fuera de mi vientre." Esto requirió una Autogestión de emociones, estructuras, opiniones, nada tradicionales.

En paralelo, la razón, me decía que un proceso en Estados Unidos, tan costoso, aunque un tanto más cercano a nuestra cultura sería muy complicado, por los costos, limitaciones y condiciones. Es así como le pedí al Universo poder ser madre, por proceso de subrogación mediante una vía de **posibilidad**.

Y el Universo me contestó, navegando en las redes sociales y sin buscarlo, me aparece un aviso de subrogación de una clínica en Ucrania con altísima trayectoria.

Lo hablé con mi marido, él, atónito, y sabiendo que habíamos tenido tantos intentos frustrados, me miró con cara un tanto extraña, un tanto desconfiada y me dijo: "te acompaño, pero hasta que no lo vea no lo creo". Pero él creyó en mi deseo, en nuestro deseo y con la seguridad de que lo lograríamos. Con él y su confianza, sabía que iba a ser posible.

PASO 5: AUTOGESTIONAR

Es así como llevé esta propuesta a la clínica en donde hicimos todos los tratamientos en Argentina, no sabía nada de Ucrania, tampoco de cómo era el marco legal para luego llevar a un niño a otro país. Consulté con la clínica, me demostraron que era segura y confiable la clínica, y que en Argentina se estaban empezando a dar los primeros pasos en materia de Subrogación. Luego consulté con una abogada de derecho internacional para que nos explicara cómo era el proceso. Nos dio toda la confianza a través del marco legal de que podríamos hacerlo, pero dependía de nosotros, no me quiso vender ningún servicio de ella, dijo: "pueden hacerlo solos, nuestro país y Ucrania tienen un acuerdo. La Ley Argentina admite la legalidad de este proceso en otros países".

En Ucrania es legal y Argentina permite hacerlo en común acuerdo con este país. Necesitaba una historia clínica que nos permitiera, como uno de los requisitos, indicarnos que estábamos aptos para subrogar en Ucrania.

Luego de obtener la historia clínica, con todos nuestros precedentes, quise asegurarme de que legalmente estábamos haciendo lo correcto, que nuestros exámenes médicos nos permitían ser padres (la ley ucraniana pide que al menos uno de los padres aporte el material genético), y que luego de casarnos, estaríamos en condiciones de viajar para firmar un contrato y dejar nuestras muestras genéticas en Ucrania.

Obtuvimos la conformidad de la clínica en Ucrania, previo haber presentado nuestra historia clínica y la actualización de todos nuestros análisis clínicos, genéticos, radiografías, y examen de pruebas varias, todos ellos fueron presentados como parte de los requisitos en noviembre 2017. Ya habíamos **asumido la**

responsabilidad tan importante en este gran paso de Autogestión.

En diciembre 2017 nos casamos y de luna de miel fuimos a Ucrania y otros países vecinos. Esto implicó una Autogestión de muchos pasos formales, de estructura mental y cultural. Aceptar ser padres por subrogación fue mágico, adentrarnos a un mundo no conocido, con pocas referencias en Argentina.

Ya había pasado más de un año de aquel ofrecimiento genuino que nos hizo mi amiga Andrea, y cumpliendo con su condición de haber pasado más de un año, debíamos abordarlo fuera de nuestro país.

Deseamos, nos asesoramos, cumplimos todos los pasos formales, legales, médicos, solo faltaba cruzar los requisitos del sistema. Era tan grande el deseo que nos llevó a viajar a un país con -15 y -10 grados para cumplir nuestro sueño. En ese viaje recorrimos muchas ciudades antes de llegar a Kiev y cruzamos otras tantas fronteras.

Finalmente, en febrero del 2018 estábamos en Kiev, firmamos el contrato, nos aventuramos a una nueva cultura, pasamos por entrevistas médicas, dejamos nuestras muestras genéticas, y seguimos en nuestro viaje de luna de miel. En ese momento, no lo sabíamos, pero la venida de nuestros hijos estaba en marcha. A partir de ahora, firmado el contrato, comenzamos a **cumplir los compromisos** de ese acuerdo.

Cada emprendimiento de gestación nos enfrentó a grandes desafíos que impactaron también a nuestros seres queridos. No queríamos generar más ilusiones y desilusiones. Tomamos la decisión de no contar a nadie el camino que estábamos por iniciar y mantener la reserva y la prudencia en el proceso.

Nuestro primer embarazo positivo por subrogación

Un segundo intento y nos da ¡¡Positivo!! Emma ya estaba en camino. Su gestación fue lindísima, tuve que Autogestionar mi ansiedad y angustia de tener un embarazo fuera de mi cuerpo, a más de 15.000 Km de distancia, fue un proceso muy difícil, fue una Maestría en Soltar y Confiar. Debí tener **hábitos** semanales para gestionar mi ansiedad, el no saber que se venía.

Recibí mucha colaboración de mi psicóloga Mariela Rossi, una especialista en terapias por subrogación. Cuando inicié mi terapia, las sesiones transcurrían con largos silencios, yo estaba muy cerrada, no me salían las palabras, pero llegó un momento, gracias a la experiencia de Mariela, que empecé a Soltar. ¿Por qué? Empecé a confiar.

Las abuelas reciben la noticia

Organizamos con Gabriel, un nuevo viaje, esta vez con nuestras madres, pero sería distinto. Gabriel iría con su madre a Croacia, y mi madre y yo iríamos a España a visitar el lugar de origen de sus padres, mis abuelos maternos, en Alicante.

Les íbamos a contar que serían abuelas. Fueron travesías de mucha conexión con el canal materno, con mi mamá y con mi abuela. Ambos, mi abuelo y mi abuela eran oriundos de

Pedreguer, un municipio de la comunidad valenciana, al noroeste de la provincia de Alicante, próximo a la costa mediterránea, España; pequeño, de aproximadamente 8,000 habitantes. Fue como sanar el canal parental y soltar. Dar las gracias por darnos vida, por haber atravesado ellos también guerras en España y decidir venir a Argentina a formar una familia y a traer vida.

En búsqueda de mejores condiciones y oportunidades, mis abuelos maternos vinieron a América con un bebé, el mayor de 4 hermanos, y luego completaron la familia con 3 hijos más. Así que llegar a Alicante, ir con mi mamá, pararnos en frente de lo que fue la casa de mi abuela y mi abuelo, fue mágico, la piel se erizaba, la energía ebullía como garganta del Niágara. Dar las gracias y pedirles ayuda fue muy de otro plano más allá del terrenal. Por parte de mi padre, una familia con 9 hijos fueron las bases de mi deseo de familia.

Finalmente nos encontramos los 4 en Roma, Gabriel, su mamá María Teresa Della Mattia, Mi madre María y yo. Recorrimos muchas ciudades juntos: Nápoles, Salerno, la Costa Amalfitana, Polignano a Mare, Matera, Alberobello y finalmente Roma. Italia es un país donde la historia se te hace presente a cada paso, imponentes construcciones que te retrotraen a la era del Imperio, su gente tan apasionada que hace de los gestos un nuevo lenguaje, sociable y amigable.

En el viaje de regreso a Roma esperábamos la noticia del sexo de nuestro bebé en camino, pero la ecografía se demoró. Gabriel emprendía su viaje de vuelta a Argentina y yo me quedaría con mi mamá y su madre, María Teresa, a quien llamamos Quica, en Roma unos días más; una mujer muy dulce, que te abraza con sus palabras de amor. Que puedo decir de Quica que me dio a su hijo como esposo, compañero y socio de todos mis sueños y proyectos. Mis creencias me hacían sentir que tenía que pedir perdón a la Iglesia por el proceso que había emprendido, que no está aprobado por la Iglesia católica, pero a la vez me sentía bendecida y agradecida por la oportunidad que estaba teniendo. Sentí en mi interior, en esa bella ciudad, que Dios me decía: "Sí, para delante".

Gabriel tomó el taxi de partida hacia al aeropuerto. Nuestro medio de comunicación era Messenger de Facebook. ¡¡La clínica me contactó!! ¡¡Es una nena decía el resultado!! ¡¡Gabriel!! ¡¡Es una nena!! Saltaba de la emoción, sin poder compartirlo con nuestras madres, había sido nuestro deseo contárselo cuando estuviéramos de regreso en Buenos Aires.

Nuestras madres fueron las primeras en enterarse. Meses más tarde, Emma, nacería un 6 de marzo. Su fecha de nacimiento estaba prevista para el 12 de marzo, pero se adelantó.

Durante la gestación de Emma, a través de la clínica, tuve la posibilidad de presenciar vía red social el momento de ecografías, conocer comentarios de los médicos y entrar en contacto con Catherina, la Gestante, conocerla fue crear el vínculo de confianza que necesitábamos. Todas las entrevistas las teníamos con una traductora de la clínica.

Nace Emma

En el año 2019, nosotros ya en camino hacia Kiev, iniciábamos un nuevo viaje de Buenos Aires a Milán, y de allí en tren hacia Viena, Austria.

El día que llegamos a Austria, nos informan que la Gestante había comenzado el trabajo de parto. Estábamos en la ciudad de Viena, que te deslumbra con la diversidad de arquitectura que tienen sus edificios: barrocos, góticos, renacentistas, en sus estrechas calles. Fue en esa ciudad antigua y bella donde nos enteramos de que Emma había nacido.

Nos mandaron fotos del nacimiento, viajamos al otro día a Kiev y unos días más tarde conocí a ese amor tan bello, la conexión de nuestros ojos fue mágica. Ese día también conocí en persona a quien gestó durante todos esos meses a mi hija.

Nuestras miradas se encontraron y entramos en contacto inmediatamente, ella es mi ángel de la guarda, la mujer más linda que haya visto. Kiev, la Gestante, Ucrania, la clínica, los médicos, mi marido y la autogestión nos permitieron lograr ese sueño tan anhelado.

Sostengo que todo éxito se debe a una serie de pasos: salir de tu zona de confort, abrirte a un mundo de aprendizajes, esforzarte, porque todo proceso de éxito requiere una cuota importante de aprendizaje, seguir los pasos del método GESTAR y allí lograr el éxito tan deseado, convivir con el paso

PASO 5: AUTOGESTIONAR

Autogestión, donde hay que tener hábitos, saber decir que no, automotivarse y motivar, asumir la responsabilidad y cumplir los compromisos.

Un hermano para Emma

El deseo de un segundo bebé no estaba presente durante el primer año de vida de Emma. Transitar la pandemia, ver lo difícil que era para los papás ir a buscar a sus hijos a Ucrania.

Pero las preguntas de un hermano para Emma comenzaban a nacer. Ella disfrutaba mucho de los encuentros con sus primos: Aitor y Rufina (hermanos adorables, primos inigualables) y Emma comenzó a decir "Sí, quiero un hermano".

Tanto mi esposo como yo tenemos hermanos entrañables, son un pilar fundamental en nuestras vidas, así que el deseo de un hermano para Emma ya estaba presente. Walter y Sergio mis hermanos, Valeria y Adrián hermanos de Gabriel.

Joshua, el hijo mayor de Gabriel de su primer matrimonio, era una hermandad a la distancia. Joshua vive a 600 km de Buenos Aires. Tanto la distancia en kilómetros como la diferencia de edad hacían reflotar ese deseo de tener un hermano para Emma.

Así fue como nació esta oportunidad de cumplir el deseo de familia numerosa. Teníamos muestras genéticas ya congeladas en Kiev, existía la posibilidad de firmar contrato a distancia y decidimos emprender nuevamente este proceso, el cual implicó autogestionar nuevamente cientos de actividades. ¡¡¡Ya no existía la angustia de saber cómo sería un embarazo a 15.000 km de distancia!!! Teníamos la experiencia.

Tuvimos un primer y segundo intento negativo, y ¡¡¡el tercero positivo!!! Lamentablemente al cuarto mes de embarazo, se detuvo su corazón. Fue nuevamente remontarme al pasado, al sabor del dolor amargo de no tener ese hijo tan deseado.

Vino un cuarto intento, con fecha de parto estimada el 27 de marzo del 2022, Milan venía en camino. Implicó muchas y nuevas situaciones, otro gestionar de emociones y decisiones, sobre todo al desatarse la guerra el 24 de febrero del 2022, un mes antes de la fecha prevista.

Milan nació el 8 de marzo, el mejor regalo que una mujer puede recibir ese día. Un honor inmenso y con mucha incertidumbre. Me preguntaba en lo más profundo de mi corazón, ¿por qué me toca Gestar y Autogestionar esto a mí? Es increíble que tenga que nacer en este contexto.

5. Con convicción, puedo asegurar que la Autogestión es un paso fundamental. En mi caso particular:

    5.1. **Tuve hábitos**: somos personas de hábitos, nos ayudó a ser muy prolijos para llevar adelante los procesos de gestación, tanto los intentos de fertilización asistida como los de subrogación. El hábito nos fortaleció para no bajar los brazos cuando las situaciones se ponían complicadas. El hábito te instala un comportamiento que te empuja.

    5.2. **Supe decir cuando sí, y cuando no**: cuando tomé la decisión de que no seguiría exigiendo a mi cuerpo fue cuando se abrieron las nuevas posibilidades, ese "no" fue la puerta a la subrogación, y supe decir "sí" a pesar de mis creencias y propios juicios.

5.3. **Asumí altas responsabilidades**: la sola decisión de tener un hijo es asumir la responsabilidad de una vida. Y en el camino de la subrogación tuvimos muchas otras responsabilidades, porque hubo más individuos involucrados.

5.4. **Cumplí todos nuestros compromisos**: pudimos cumplir con todos los pasos, enviamos los requisitos a Ucrania tal como fue solicitado y no demoramos ninguna fecha. Muchas veces el inconsciente te juega una mala pasada porque hay un miedo latente que no te deja avanzar, pero teníamos un fuerte compromiso con lo que queríamos y nos ayudó a no procrastinar ni posponer nuestro hacer.

5

Método Gestar: Autogestionar

La autogestión es la madre de las autodisciplinas. Si quieres lograr algo, hay que tener mucha disciplina en la gestión de cada paso o tarea para lograr el sueño. Un nuevo plan debía gestionarse para preparar a Emma y a nuestro seno familiar para recibir a un bebé en casa.

En tus deseos, en tus metas y proyectos, ¿qué cosas consideras que debes autogestionar? ¿Qué cosas podrás gestionar con otros? ¿Qué cosas podrás NO gestionar? Porque también hay situaciones que estarán fuera de tu alcance. La guerra no era algo que pudiésemos tener injerencia alguna, pero sí los pasos que debíamos gestionar y transitar, una vez conocido el evento.

La autogestión no implica hacer las cosas solos, necesitas también de mucha ayuda, de una red inmensa, la autogestión implica gestionarse a uno mismo en todo lo que hay que hacer, sentir y pensar para lograr tus sueños impulsándolo. Tomar decisiones es parte de cada paso del método GESTAR. La autogestión es el primer paso al liderazgo, la capacidad de resolver solo, de decidir solo, de buscar los recursos, automotivarse, no victimizarse, te convertís en protagonista de tu propia historia, también trabajo en equipo y en red.

Te invito a que hagas el ejercicio de pensar, sentir y hacer una muy buena autogestión de los pasos que tienes que dar o de los pasos que todavía no sabes que tienes que dar, pues la vida y el camino te los va a ir presentando.

5. Los pasos para la Autogestión se enmarcan en:

   5.1. **Tener hábitos:** la disciplina se alcanza en base a los hábitos, ser consistente y perseverante te impulsan a crecer, a generar autoconfianza y ser confiable. La autogestión implica que no habrá nadie para exigirte, para corregirte, para motivarte, todo lo tendrás que hacer por vos mismo. Los hábitos te convertirán en un experto en los ámbitos que te propongas y te hará más resiliente frente a la adversidad, nada te hará bajar los brazos tan fácilmente.

   Preguntas guía: ¿Estableces horario de inicio, fin y duración de las actividades antes de iniciar? ¿Es común para vos dedicar tiempo a una actividad que disfrutes todos los días al mismo horario? ¿Te propones regularmente adquirir nuevos hábitos? ¿Qué actividad identificas que haces de manera automática, sin esfuerzo gracias a la práctica? ¿Tienes agenda diaria, semanal, mensual y anual?

   5.2. **Saber decir que no:** establecer límites es conocerse, saber de nuestras capacidades y hasta dónde podemos llegar sin desgastarnos, es respetar tu tiempo y el de los demás, es volverse más confiable. Y siempre hay una manera amable de negarse a asumir más de lo que podemos hacer. No te fallas a vos mismo y más aún, no le fallas a otros.

Preguntas guía: ¿soy bueno estimando o subestimo la duración de las tareas? ¿Puedo decirme no a mi propia búsqueda incansable de perfeccionismo? ¿Temo ser rechazado por no aceptar una asignación? ¿Uso mi agenda para fundamentar que no es posible aceptar más actividades? ¿Sé convocar a otros para que tomen el trabajo que no puedo asumir?

5.3. **Asumir toda responsabilidad** (de punta a punta): Hay una diferencia entre ser responsable y asumir la responsabilidad. Ser responsable implica que se me fue asignada una actividad, pero asumir la responsabilidad implica que al finalizar el trabajo soy el único responsable de los resultados y de cómo se llevó a cabo, aunque sea otro el que haya cometido errores si los hubiera. Requiere alta dosis de coraje y vulnerabilidad. Coraje para cuando aparecen los temores de las consecuencias y vulnerabilidad para reconocer la equivocación.

Preguntas guía: ¿entiendo cabalmente de qué se trata lo que estoy asumiendo y en caso de no ser así, trato de entenderlo consultando distintas fuentes? ¿Hice acuerdos del alcance de lo asumido, los límites dentro del cual está mi responsabilidad? ¿Conozco mis capacidades y limitaciones para diferenciar de lo que soy capaz y de lo que no, y acepto que se trata de una habilidad que debo adquirir? ¿Analizo múltiples escenarios tanto factibles como fallidos para anticipar riesgos y actuar acorde? ¿Entiendo el grado de motivación que necesito para impulsar por propia voluntad cada tema?

5.4. **Cumplir con los compromisos:** la autogestión llega a término cuando se cumplen las metas establecidas. También implica levantar la mano frente a imprevistos, pero, con propuestas de solución.

Preguntas guía: ¿sé cómo pedir ayuda si estoy lejos de la meta? ¿Sé cómo priorizar mis actividades, reducir distracciones para seguir enfocado con el compromiso que asumí? ¿Soy flexible para cambiar el rumbo que me permitirá llegar a la meta?

Paso 6: Recordar

Recuerdo ese mes de marzo del 2019, Emma nació el miércoles 6, pero pudimos verla recién 5 días después. El primer encuentro con Emma fue el 11 de marzo del 2019 en la clínica "La Maternidad 3" en Kiev, Ucrania. El protocolo indicaba no poder verla hasta el tercer día de haber nacido, es decir el 8 de marzo, día internacional de la mujer y feriado nacional. Sábado y domingo no daban altas y recién el lunes 11 de marzo pudimos visitarla.

Fue el encuentro más maravilloso de mi vida, sus enormes ojos brillaban, no había visto antes unos ojos tan hermosos, llenos de vida, su mirada estaba atenta a nuestros movimientos hasta que nos clavamos las miradas, y nos entrelazamos como una cadena de una embarcación marítima, la felicidad era plena, esa mirada la recordaré por siempre. Está tatuada en mis ojos y en mi corazón.

Muy felices de estar ahí, en ese preciso instante conocimos a la Gestante Catherina, una mujer muy bella, así como mi madre, Sus ojos eran de un azul intenso, su cabello del color del sol. Esa era la mujer que había albergado durante 9 meses a Emma y nos había permitido ser padres. Nuestras miradas parecían haberse conocido desde hace mucho tiempo, escuché con los ojos las palabras de su mente. Fue un momento de **brindar reconocimiento**.

Habíamos llevado un osito blanco y un abrigo de color rojo intenso con piel (hacía cerca de cero grados) para vestir a Emma, pero nos habíamos olvidado de las medias, así que en el sanatorio nos regalaron las medias que tenía puestas desde su nacimiento, ¡eran unas medias usadas por tantos bebés!, color amarillo y blanco, las cuales hoy guardamos con mucho amor. Como presente, Catherina nos regaló un enterito de corderito bellísimo con un osito estampado, el regalo más noble y puro que deseaba un mensaje como …. Esta niña estará abrigada como la cuido ella durante los meses de gestación.

Habíamos llegado hasta ese momento gracias a los procesos transitados y lecciones aprendidas, teníamos que **Valorar los aprendizajes**. Habíamos alcanzado nuestro mayor logro, fue como pisar la luna o haber escalado el monte Everest. Requirió de muchas vivencias, cosas buenas y otras no tanto. Pero con Gabriel habíamos cumplido un deseo individual que teníamos hacía mucho tiempo, y **esta vez en comunión, en pareja**. Yo sabía que al perder a mi padre a los 9 años y sentir su falta desde ese entonces, no me iba a permitir traer un solo hijo al mundo.

Las estructuras y vivencias nos hacen también elegir qué camino tomar. Así que, deseo y elección son para mí dos pilares que nacen en el seno del individuo, es muy personal, pero el proceso siempre es en colaboración. **La evaluación de los niveles de motivación** para revalidar el deseo y la elección de los pasos a seguir y su **alineación con tus valores** son fundamentales. Es así como llegar a tener una hija se basó en un sinfín de **aprendizajes, alineando los valores, evaluando los niveles de motivación y dando reconocimiento** inmenso a muchas personas que ayudaron en este proceso.

Primeros deseos de ser madre

El deseo de tener un hijo nació mucho tiempo atrás. En mi primer matrimonio, luego de haber estado 13 años juntos con mi exesposo, decidimos emprender el camino de tener un hijo, la naturaleza no nos permitió llegar a cumplirlo. Los motivos de nuestra separación no fueron sólo por no lograr concebir hasta ese momento un hijo. Tampoco hubo un intento de tratamiento de fertilidad, no avanzamos.

El castillo se me desmoronó a nivel mental y emocional por varias razones.

Era una etapa de mi vida en la que yo trabajaba mucho, muy adicta al trabajo y entendí que debía relajarme. Así que luego de la graduación de la carrera universitaria de mi exmarido, iniciada una vez casados, emprendimos una empresa y cuando manifesté que me quería relajar un poco para pensar en quedar embarazada, no hubo un acuerdo. Se me desvanecían los sueños, ¿cómo podía formar una familia así?

Hubo otras cuestiones más profundas que resurgieron, solo se veía la punta del iceberg y las bases ocultaban diferencias que ahora comenzaban a emerger. Inicié terapia, nunca había hecho terapia alguna.

Mi prima y amiga psicóloga, Jessica Cucchi me recomendó a algunos terapeutas. Mi inseguridad en ese momento me llevo a iniciar entrevistas con tres psicólogos a la vez. Luego de algunas sesiones, me quedé con la que mi intuición me decía que me sentía bien y con la cual seguí. Luego de varios meses de terapia, y mucha confusión, llegó la luz que me llevaba a un túnel oscuro, la decisión más difícil: separación y divorcio.

Nunca pensé que llegaría a eso, pero mi Corazón me decía eso. No iba a soportar otra perdida más luego de la de mi padre. Caído el castillo, no pude remontar ese sentimiento. No podía asumir otra pérdida.

Enfrenté irme de la casa que habíamos comprado con sacrificio, recuerdo que se lo dije a mi hermano Walter, quien me ayudó muchísimo en este proceso, a pesar de llevarme 12 años y de la manifestación de su enfermedad Insuficiencia Renal. Las distancias que existen por la edad en la niñez se acortan en la adultez.

Un cambio de timón

Inicié el proceso de separación y divorcio en muy buenos términos. Me dolía la separación, pero fue una caída de telón. No fue fácil. Pero logré salir de ahí. Me mudé. Sentí mucha soledad.

Recuerdo llorar sola en un sillón marrón de cuero que había traído de la casa donde vivíamos. A la noche me acostaba y me abrazaba a mí misma, sentía la necesidad de amor y un abrazo.

Mi madre no comprendía mucho esto, mi hermano Sergio, el segundo de tres hermanos, tampoco, quizás desde afuera la irracionalidad de la separación no era admitida en nuestra familia, en la cual nunca existió una separación, un divorcio.

Paso 6: Recordar

Trabajaba en una compañía de tecnología, que prestaba servicios de consultoría a empresas, en ese momento a Pérez Companc, una empresa de energía local y argentina, posteriormente comprada por Petrobras Brasil.

Me recluí en mi profesión, trabajaba mucho y viajaba todas las semanas a Brasil. La firma me permitió crecer, viajar, conocer personas maravillosas, son una gran empresa conformada por excelentísimas personas.

En septiembre del 2009, decido hacer un cambio de timón, cambiar de empresa, pero no sin antes realizar un viaje con amigos de Brasil. Le escribí a Rosangela, una amiga estupenda y a Mauro su esposo, contándoles que quería ir a Europa. Ella me comentó que les encantaba la idea y que se sumarían con otra pareja. El viaje fue único, nos encontramos en Roma, viajamos en una camioneta recorriendo Italia y bellísimos lugares, Montalcino, Montepulciano, Assisi, Cinque Terre, la Toscana entre otras. Luego, seguimos caminos separados, iría a Barcelona a pasar unos días con mi amiga Andrea Flores, quien años más tarde me ofrecería su vientre para subrogar.

Empiezo a trabajar para otra empresa de energía, líder en Argentina, Pan American Energy (PAE), empresa a la cual le debo mucho porque crecí no sólo en lo profesional sino también en lo personal. Andrea Szterenlicht, una persona con la cual trabajaba me recuerda siempre que yo dije en aquellos años, que quería formar una familia.

Pan American fue muy paciente en los procesos personales que me tocaron vivir. Fueron años muy duros para mí, de mucha angustia, de deseos no cumplidos. En lo profesional crecía, tenía proyectos desafiantes, pero en lo personal no lograba mis objetivos, con lo cual el balance personal y profesional no se estaba logrando. No había un crecimiento armónico en mi vida. Separaba mucho lo laboral de lo personal, cuando en realidad somos una persona integrada, "Uno en esencia", y luego uno aplica sus habilidades en diferentes ámbitos, y logra el equilibrio.

La persona indicada para ser padre

Un año más tarde, conozco a Gabriel, mi actual esposo, padre de mis dos hijos. Lo más importante fue que teníamos el mismo proyecto de formar una familia. Él ya tenía un hijo, Joshua de 12 años, y al mes de conocerlo, nos reunimos con él en el departamento que alquilaba.

Joshua me preguntó: ¿vos querés formar una familia? ¿Cuáles son los valores más importantes para vos? Me sorprendieron mucho esas preguntas en un niño de 12 años, el cual podría estar un poco celoso de su padre. Mi respuesta fue "Sí, quiero formar una familia y los valores más importantes para mí son la familia, los amigos, progresar y evolucionar". Sus ojos y su expresión me lo dijeron todo. Agradecida de haberlo conocido y que me hiciera esas preguntas. Joshua ha sido un maestro para mí en muchas ocasiones.

Empezamos el camino de la paternidad

Meses más tarde, comenzó seriamente el deseo de ser padres. Lo más importante que nos ha tocado vivir es el haber transitado este camino juntos, de tantas búsquedas, de manera natural, inducidos, por fertilidad y nuestros últimos intentos por subrogación.

Luego de varios procesos, mi deseo, nuestro deseo y nuestra elección de tener un hijo estaba intacto, a flor de Piel. **Deseo y elección**, dos palabras claves en la vida de un ser humano. Existió un momento, posterior a perder a los mellizos de 5 meses de gestación, y posterior a haber perdido otros bebés, donde me pregunté si mi camino de ser madre continuaba intacto. La venida de mi perra Bela me dio un calor de hogar, los perros te transmiten incansablemente un amor incondicional, efusivo, y lo exteriorizan cada día.

Aparecen contratiempos y vienen las dudas si tu matrimonio se pueda romper en mil pedazos. Recuerdo que mi amado Gabriel me dijo: "te elegí a vos, me duele mucho lo que nos pasa, quiero que tengamos nuestra familia, pero yo elegí una vida con vos". En ningún momento surgió la culpa o culpar al otro por la no posibilidad. Sin embargo, te surgen muchas dudas. Luego de cada evento, cada pérdida vivida con él trataba de llenarla con algo que nos hiciera bien, un viaje, un recital.

KIEV, LA CIUDAD DE LOS RECUERDOS
IGLESIA SAN ANDRÉS

Cartas a mis hijos

Así emprendimos nuestro proceso de subrogación y vino Emma. Una hermosísima niña, en lo físico es un calco mío y su carácter lo va forjando día a día.

Emma, fuiste elegida con el deseo más grande de nuestras almas, volvería a recorrer el mismo camino de desearte, de tenerte en mis brazos, de criarte y cuidarte. Sos nuestro sol, recorrimos un camino de mucho dolor para llegar a vos, y nuestro deseo se cumplió, en colaboración con mucha gente. Obvio que siempre te contaré la verdad, de donde viniste y que mis miedos de hacerte daño emocional los tengo, porque nuestra estructura está armada en función de lo que proviene de la propia naturaleza. De lo único que nunca podrás dudar es que fuiste elegida para que vengas a este mundo por nosotros como papás, con nuestros genes, pero en una casita prestada. Sos lo mejor que me pasó en la vida. Sé que sos del mundo, los hijos son de la vida y un día emprenderás tu camino, lo único que quiero que sepas es que fuiste, sos y serás amada, muy amada, enormemente amada y que siempre estaré contigo física y espiritualmente.

Y es así como Emma vino de una manera transformadora, desde que deseamos y elegimos seguir el proceso de subrogación; ella no para de enseñarme, realmente es mi mayor maestra, luego de mi madre.

En este preciso instante Emma se acerca y me pregunta: "¿estás trabajando?". "No" le dije, estoy escribiendo un libro para vos y para Milan. Y me pregunta: "¿Por qué me escribís un libro? ¿Me dejas escribir? Yo también quiero escribir". Mi respuesta fue: "me encantaría, cuando quieras escribe lo que desees".

Atravesamos la pandemia con su crianza, nuestro deseo de ser papás fue cumplido con Emma, pero ella nos trajo el deseo de ser padres nuevamente. Ahora que estábamos seguros, queríamos su validación. Emma: "¿querés un hermano?" La respuesta reiterada de ella, fueron muchos "Sí quiero, sí quiero".

Nos pusimos nuevamente contacto con la clínica. Y así vino Milan, un ser que vino de una manera transformadora y además en un contexto de guerra muy difícil.

Milan, sos el ser más valiente que conozco, te fuimos a buscar en guerra, tu Gestante Irina te cuidó muchísimo, otro Ser excepcional en nuestro camino.

Vos arriesgaste tu vida, nosotros arriesgamos nuestras vidas al buscarte, y tu hermana corrió el riesgo de perder a sus padres al esperarte. Volvería a hacerlo, volveríamos a hacerlo.

No quiero que te queden dudas, que fuiste, sos y serás muy amado. Un ser excepcional que, desde su preconcepción, me enseñó mucho y nos sigue enseñando.

Nadie podrá hacerte dudar de cuánto te deseamos, elegimos, buscamos y engendramos en otro seno.

Sos nuestro hijo y tendrás de compañera a Emma y a Joshua, tu hermano mayor.

Serás un maestro para mucha gente, y le contarás esta historia vos mismo, a tu familia, hijos y nietos. Siempre con la convicción de ser amado con toda nuestra alma.

Fue difícil ir a buscarte, entrar en la guerra, salir de Ucrania y sobrevivir en una clínica en Bucarest, Rumania, amar a tu hermana, quien tuvo la valentía de esperarte y nos enseñó la contemplación y la paciencia.

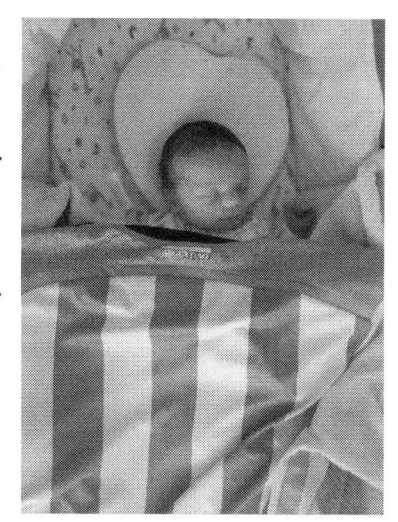

6. Estas vivencias pudieron ser transitadas gracias a la aplicación de los sub pasos de este paso 6: Recordar mediante acción e inspiración puras:

   6.1. **Valoré siempre mis aprendizajes**, valiéndome de la experiencia, de las vivencias del pasado.

   6.2. **Alineé los valores**, de manera constante.

   6.3. **Evalué los niveles de motivación** de manera permanente.

   6.4. **Brindé reconocimiento** a toda la gente que me ayudó.

6

Método Gestar: Recordar

Gracias a muchos procesos recorridos, a nuestra experiencia, pudimos llegar a formar nuestra familia. Antes de adentrarnos en los pasos del método, te invito a hacerte algunas preguntas y también darte algunos consejos.

Comienzo por los consejos:

- ✓ **Válete de tu deseo y elección**. Pregúntate siempre, si tu deseo es el mismo o puede cambiar, y vos sabes que puede cambiar a medida que vas creciendo, evolucionando.

- ✓ **Válete de los procesos para alcanzarlos** y tendrás que elegir y tomar decisiones y cambiar de rumbos.

- ✓ **Válete de tu razón, corazón e intuición**. Piensa, siente y medita para encontrar el camino.

- ✓ **Válete de tus redes o nuevas redes**, si bien tropezarás con algunas piedras y barreras, te ayudarán tu experiencia y tus redes.

- ✓ **Válete de la red de colaboración**, no te sientas héroe de hacer todo solo, pedí ayuda, búscala, la encontrarás. Tendrás muchos puentes para que el proceso no sea tan largo o difícil.

- ✓ **Válete de los métodos conocidos**, agrégales tu propio método y aplica el Método Gestar.

Y ahora te pregunto:

- ✓ ¿Cuáles son tus deseos? ¿Continúan intactos desde el paso 1 o cambiaron?, pueden cambiar, hay que estar tranquilos, con el alma calma.

- ✓ ¿Cuáles son los procesos y pasos que seguiste? ¿Piensas que debes cambiar?

- ✓ ¿Estás dispuesto a cambiar los cómo o el proceso, pero dentro del marco de tus valores para alcanzar tu deseo?

- ✓ ¿Te vales de tu razón (datos, estadística, estudios), tu corazón (lo que sentís) y de tu intuición (¿qué te decís a vos mismo? ¿Escuchas las señales externas? ¿Qué te enseñan tus pares, tu familia, tus amigos, tus compañeros de trabajo, tus jefes?)

- ✓ ¿A quiénes escuchas? ¿O te cerras a tu mundo solo conocido?

6. Los pasos para Recordar se basan en Acción e Inspiración y se enmarcan en:

6.1. **Valorar los aprendizajes:** es el momento de reconocer los aprendizajes que nos trajeron hasta este momento. Los proyectos nos exponen a situaciones límites, crisis, decisiones que nos hacen traspasar nuestros límites para crecer, pero también nos conecta con personas que nos deja nuevas formas de hacer. Es momento de detenerse, de reflexionar para poder estar presentes y disfrutar de esta travesía.

Preguntas guía: ¿cuál fue mi mayor desafió? ¿Cuál fue mi mayor aprendizaje? ¿Qué persona me dejó la mejor enseñanza y cuál fue? ¿A quién hice crecer? ¿Cuáles fueron los mejores momentos y no tan buenos? ¿Qué cosas distintas haría en función de las enseñanzas aprendidas?

6.2. **Alinear los Valores:** la vorágine de los proyectos nos produce una velocidad que no nos detenemos a considerar si estamos afectando nuestra escala de valores. Es momento de reflexionar.

Preguntas guía: ¿tengo balance entre mi vida personal y laboral? ¿Respeto los tiempos de las personas con quien trabajo? ¿Busco espacios para colaborar con otros? ¿Genero un ámbito de seguridad y confianza para que otros puedan dar su opinión y propuesta? ¿Tengo una escucha activa?

6.3. **Evaluar los niveles de Motivación:** estar en estado de Flow como lo describe Mihaly Csikszentmihalyi, es tener la posibilidad de volvernos más productivos porque disfrutamos de lo que hacemos y damos lo mejor de nosotros mismos. Por el contrario, si no disfrutamos lo que hacemos, se reduce nuestra capacidad creativa, nuestro entusiasmo y ganas de colaboración.

Preguntas guía: ¿estoy poniendo atención a las horas de sueño, a la nutrición y al ejercicio? ¿Siento entusiasmo cada mañana cuando pienso en mi trabajo, deseo o proyecto? ¿De qué manera puedo diseñar mi trabajo para que pueda disfrutarlo más? ¿Qué puedo mejorar a mi alrededor? ¿A quién puedo ayudar?

6.4. **Brindar reconocimiento:** los proyectos exigen mucho esfuerzo y las personas, aunque no lo pidan o esperen, aprecian que se reconozca la dedicación que ponen para que las cosas salgan bien. Recordar los inicios, retrotraerlos al momento que no eran tan crédulos de que era posible y mostrarles que lo hicieron realidad, lo que lograron juntos y lo que logró cada uno, es generar una gran dosis de energía para seguir.

Preguntas guía: ¿Qué miedos tenías antes de empezar, eran reales? ¿Qué logro fue el que trajo más satisfacción? ¿Qué aporte hizo cada uno individualmente? ¿Qué aporte hicieron como equipo?

Paso 7: Potenciar los recursos

El corazón nos hizo entrar a Kiev, la razón nos decía salir de Kiev, y la intuición nos decía: "está perfecto lo que están haciendo", siempre con mucha ansiedad y para gestionarla teníamos que definir el **alcance** de lo que queríamos hacer, cómo lo haríamos, alternativas, riesgos y plan de acción.

Como todo proceso en la vida, y dependiendo de cada modelo mental, experiencias y vivencias, las personas nos basamos en algún pilar: **razón, corazón, intuición** u otro. Bueno nosotros nos basamos en estos tres pilares, y en la aplicación de todos los componentes para gestionar un proyecto tan complejo: Alcance, Tiempos, Recursos, Riesgos, Comunicaciones, Adquisiciones, Costos, Calidad, Integración, como así también de otras guías: Gestión de proyectos Agile, Lean, Kanban, Gestión del Cambio, entre otros.

También decirles que los pasos que uno va dando, exitosos o no, son capítulos y aprendizajes que deben ser superados, sanados para avanzar. Si no sanan, la vida te los vuelve a enfrentar. Mark Zuckerberg, precursor de las redes sociales, nos enseña que antes de lograr ese gran éxito, desarrolló y trabajó en innumerables intentos de aplicaciones. Beyoncé, reconocida cantante, hizo cientos de canciones antes de llegar a ser famosa. Los intentos, los aprendizajes y dar **cierre** a los ciclos, te permiten capitalizar un enorme conocimiento.

Muchas veces en el pasado me guie por el corazón, quizás con más esfuerzo; la intuición, la fui incorporando a lo largo de los años. Aprendí intuitivamente que el lado más espiritual, ya sea por conocer las filosofías de más de cuatro religiones, sobre todo la católica, la judía, la budista y la ortodoxa, junto a otras técnicas como la meditación, me ayudaron a desarrollar este sentido de intuición. La intuición y el corazón avanzaron por sobre el plano racional, pero debo decirte que me valgo de los tres. Es así como traté de aplicar conceptos de mejora en la **calidad** de cada paso relevante.

Como hablamos en pasos anteriores, el deseo y la elección son propios del individuo, pero los medios para lograrlo se hacen más rápido en comunión con otros, con la red de colaboración que te vas armando basados fundamentalmente en la **comunicación e integración**.

Si hay algo que podría confesarles que haría distinto en mi vida personal, es abrir más mi cabeza a una red de colaboración más amplia de manera anticipada. El trabajo en equipo obtiene resultados extraordinarios en más corto tiempo que si lo haces solo, por eso que la **integración** es fundamental.

Hago una analogía con la estación de Arsenalna, una estación de la línea Sviatoshynsko-Brovarska del metro de Kiev, construida en 1960. La estación es actualmente la más profunda del mundo (105,5 metros). Esto se atribuye a la geografía de Kiev, donde la orilla alta del río Dnieper se eleva sobre el resto de la ciudad.

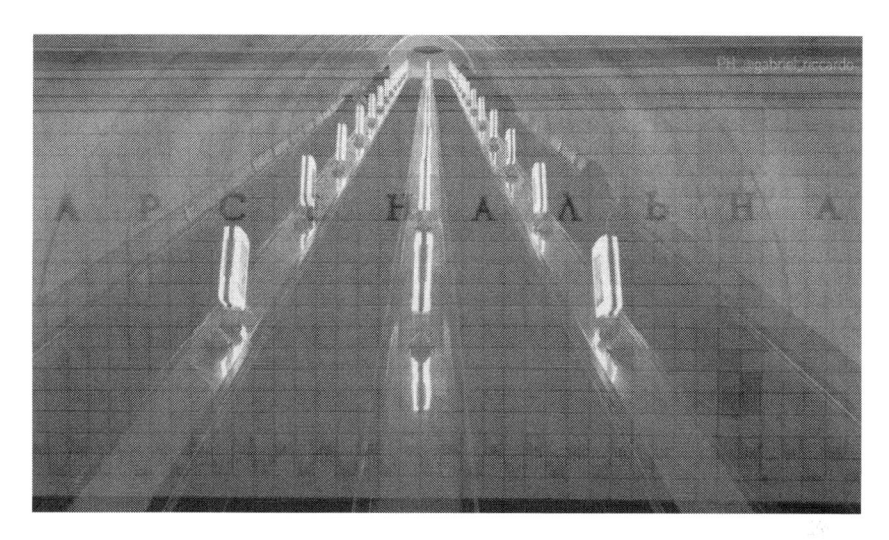

Casi 5 minutos transcurren entre el andén del tren y la llegada a la superficie. Uno tiene esos altos y bajos, toca fondo y también sale a flote. Lo importante es levantarse, moverse, valerse de los recursos para aprender y subir, evolucionar, es decir **gestionar recursos**.

Soy contadora de formación profesional, aunque siempre trabajé en tecnología y realicé tres posgrados, el primero fue Dirección de Proyectos y esto me permitió crecer en mi vida profesional, luego Dirección en Gestión de Procesos y el último de Transformación Digital. Aplicar **gestión de costos** es fundamental a la hora de optimizar los recursos y maximizar su uso.

Primero en la gestión de proyectos de manera más tradicional y luego con metodologías más ágiles a la hora de obtener resultados en tiempos más cortos (se enfoca en entregas continuas), y también algunas otras metodologías tales como Lean (para evitar desperdicios y maximizar el valor mediante la eliminación de procesos innecesarios), metodologías de gestión del cambio, de testeo y pruebas, de desarrollo de software.

De esta forma, apliqué en mi vida personal muchos conocimientos adquiridos, pero a la hora de tener que tomar decisiones más rápidas me valí de los métodos que mejor me ayudaron sumados a Razón, Corazón e Intuición, hasta llegar a Método Gestar con los 11 pasos incluidos en este libro.

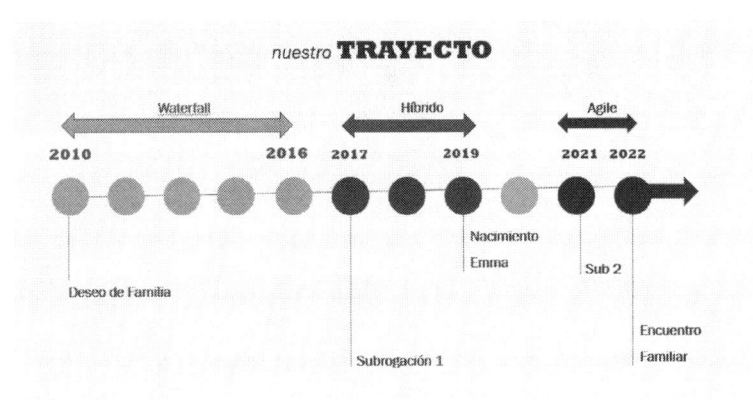

nuestro **TRAYECTO**

Waterfall 2010 — 2016
Híbrido 2017 — 2019
Agile 2021 — 2022

Deseo de Familia
Subrogación 1
Nacimiento Emma
Sub 2
Encuentro Familiar

Bajando las escaleras

Llegamos a "Santa Sofía", que debe su nombre a la patrona de la ciudad de Kiev. Es un complejo donde habitualmente se alojan las familias y tienen el cuidado de los bebés hasta los 45 días de vida aproximadamente.

Nos alojamos tres familias cada una en un departamento. Nos quedamos allí y luego dos personas que estaban al cuidado de todo el complejo, nos acompañaron a un subsuelo, un búnker armado para el cuidado de todos los bebés.

Bajamos las escaleras, no recuerdo bien si estábamos en un segundo o en un tercer piso. Bajamos un escalón, salimos a la parte externa de los departamentos, y bajamos otras escaleras al subsuelo, todo muy bien cuidado, se abrió una puerta, la puerta del Edén, porque allí conoceríamos a Milan. Esto es uno de los instantes en donde se aplicó **gestión de riesgos**.

¡Nos encontramos con Milan!

¡Llegó el encuentro!, tan pero tan chiquitito, con cariño le digo "el peceto". Había nacido 21 días antes, lo vemos, lo tomo en mis brazos y noto que le costaba respirar. La enfermera me confirma que sí, que se cansaba al beber la mamadera.

Fue un encuentro tan bello! porque estábamos todos con vida y porque era tan tremendo sentir lo que había recorrido y vivido Milan desde sus días antes de nacer.

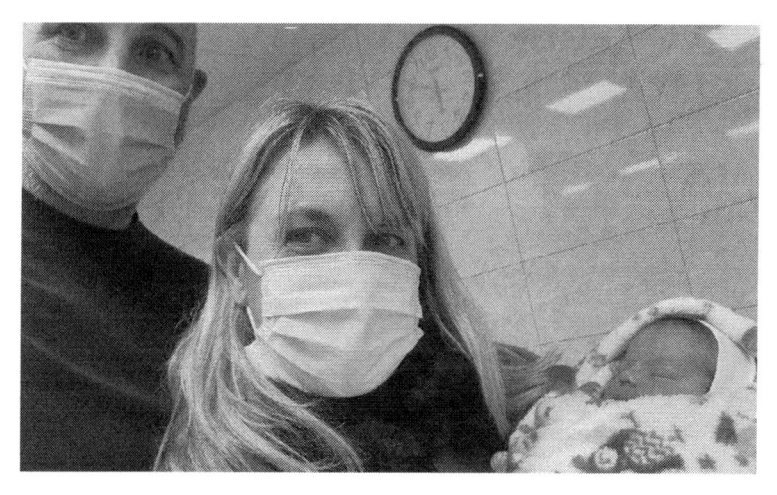

Sí, DIEZ PARA LAS SEIS ESTÁBAMOS JUNTO A MILAN

Su Gestante ya estaba con su familia, y nosotros con Milan. Tan pequeñito, nosotros tan exhaustos de lo vivido, sin dormir, sin comer, pero no importaba, estábamos juntos.

Tengo que reconocer que no fue de la misma manera que viví el encuentro con Emma, donde fue un contexto mágico. En esta oportunidad era como estar en una nave espacial, pero en medio de una guerra, a salvo en un subsuelo.

Pronto fue el momento del baño a Milan, lo cambiamos, le dimos la mamadera, lo abrigamos mucho y subimos a los departamentos. Gonzalo y Adriana también se habían encontrado con su beba que había nacido el 6 de marzo, dos días antes que Milan. La aplicación de la **gestión del cambio** estaba inmersa en esa sala de un subsuelo. El reloj indicaba que a 10 minutos para las 6 se daba el encuentro tan esperado de ese proyecto sublime, aunque debíamos continuar, aún no estábamos a salvo y el riesgo estaba latente. Seguía la **gestión del alcance, riesgos, tiempos, comunicaciones** y principalmente **cierres**.

Mariano y Angie aun sin su bebé, nacería en los días subsiguientes. Ellos se animaron a entrar y estar en Kiev 17 días con bombardeos, para evitar correr el riesgo de no poder entrar a Kiev.

Llegó la noche, no teníamos nada para comer, nos daba vergüenza pedir comida. Estábamos agradecidos de que los bebés, enfermeros y médicos tenían todos los recursos necesarios para el cuidado, higiene, comida y salud de los niños y todo el personal que estaba pendiente de ellos.

Nos habían pedido que no permaneciéramos cerca de las ventanas, que no prendamos las luces, y que las camas las ubicáramos lejos de las ventanas. Angie y Mariano vinieron a nuestro departamento a conocer a Milan y compartimos una lata de pescado entre los cuatro. Estos momentos implicaron **gestión de riesgos y recursos**, también **integración**.

Fue el mejor banquete que tuvimos, teníamos a Milan. Más tarde, cada familia se iría a su departamento a dormir. Por la noche había ruidos, eran bombardeos, fue estremecedor escucharlos. Ya estábamos con nuestro hijo y la responsabilidad era aún mayor. Emma en Buenos Aires y nosotros tres en Kiev con bombardeos.

Mientras tanto seguíamos en contacto con Cancillería con Yusef Saber, quien nos ayudó con los papeles para que Milan pueda salir legalmente del país. Esto implicó **gestión de las comunicaciones y tiempos**, pues si no teníamos la medición del tiempo de cada actividad no podíamos ir alcanzando cada paso.

Necesitábamos que el Cónsul y la Embajadora de Argentina en Ucrania, en representación de la Nación Argentina, nos expidiera el Pasaporte para poder salir del país, cumpliendo los pasos formales en contexto de guerra. Así que enviamos digitalmente todos los papeles requeridos. Yusef Saber y la embajadora de Argentina en Ucrania, Elena, nos ayudaron con el trámite, sin su ayuda y compromiso no lo hubiéramos podido realizar.

La difícil salida de Kiev

Lo que no es fácil nos lleva a la zona de aprendizaje.

Al día siguiente emprendimos el viaje vía terrestre en auto, dos familias, los bebés y el conductor. Viajamos 600 kilómetros para llegar nuevamente a Siret, límite con Rumania y paso fronterizo.

Atravesamos zonas muy riesgosas, no había gasolina en ninguna estación de nafta, finalmente la sexta estación que encontramos disponía de gasolina, pero había tres cuadras de cola de autos para poder acceder a algunos litros de nafta.

Cuando nos pusimos en la fila y nos vieron con los bebés, se apiadaron de nosotros y nos cedieron el lugar para no hacer esa interminable cola. Hicimos parada en la segunda ciudad nuclear, ya habíamos viajado 400 km y debíamos parar por el toque de queda.

Nos quedamos en un hotel de los años 40 o 50, pero con toda la calidez humana y el ambiente calefaccionado que necesitábamos para pasar la noche.

Al día siguiente partimos. Recorrimos los últimos kilómetros hacia la frontera, donde estaban esperándonos el personal de la embajada de Argentina de Ucrania y Rumania y los cascos blancos. Por siempre agradecidos a Elena y Yusef Saber y todo el personal diplomático.

Universo quiero decirte ¡Gracias!

Uno se pregunta ¿por qué atravesar esto? sabíamos cuál era nuestro fin, que era tenerlo a Milan y llevarlo a nuestra casa. Consultando todo el tiempo con Marga, médica y amiga de la nueva era, dándome consejos, ella me daba esperanzas todos los días y en cada momento que yo lo necesitaba.

Universo quiero decirte ¡Gracias! Gracias, gracias, gracias, Señor, por permitirme el siguiente paso.

Cada paso era un pedir a Dios, implorar que todo saliera bien, vuelvo a emocionarme al recordar esos momentos angustiantes y felices a la vez.

Me ayudaron la fuerza de las palabras y el acompañamiento de mi jefe, a quien estimo muchísimo, y a su hermosa y numerosa familia con 7 hijos. A Eugenia Huergo de Recursos Humanos de PAE estuvieron muy presentes.

Mi jefe era el vocero para con la compañía a cada instante. Agradecida a la vida de tener un jefe como él. Agradezco a la vida, a Dios, y a todos los líderes que tuve, todos me enseñaron algo que tuve que aplicar en las circunstancias que se me presentaron.

Cuando uno ejecuta un proyecto, lo más importante son el equipo y los recursos que lo conforman. Las actitudes no se reemplazan, el conocimiento se adquiere y la fuerza motora del trabajo en equipo con buena energía genera resultados extraordinarios.

Agradecida a mis pares, a Maximiliano Córdoba por su positividad, a Gustavo Scarafia por su poder de síntesis y simplificación de las cosas complejas en simples, a María del Rosario Romero por su cuidado por la Seguridad, a Adrián Nowik por su pasión por la tecnología, a Eduardo Domínguez por su disfrute de la vida, a Francisco Moura por su armonía y forma política de hablar, a Pedro Franko por su persistencia en sus convicciones, a María Florencia Kavanagh por su buen humor aun en situaciones límite.

También agradecida a mi equipo, con el que cruzamos fronteras, crecemos y aprendemos día a día: Marcos Pawlik, Laura Moreyra, Nicolas Battaini, Guillermo Montero y todos sus reportes, por permitirme tomar esta licencia aún no aceptada por la ley argentina. Realmente PAE y toda su gente, fueron lo mejor que me tocó vivir a nivel corporativo estos últimos años.

7. Todos los aprendizajes de Ejecución de proyectos me valieron, porque estas vivencias fueron la construcción de un gran proyecto, un gran deseo.

   7.1. **Identifiqué los recursos necesarios**: recursos físicos que fueron desde la logística hasta la necesidad de documentos para la salida de Kiev y los emocionales, sabía que teníamos que estar fuertes porque el contexto de guerra es una prueba a tu capacidad de sobrevivir. No era momento de ser débiles para recibir a nuestro hijo, tenía que percibir que estábamos ahí sin miedos.

   7.2. **Planifiqué los recursos**: teníamos todos los papeles para llevarnos todo lo necesario

   7.3. **Administré los recursos**.

7.4. **Evalué la eficiencia del uso de recursos.**

Y apliqué cuanta metodología conocía, desde una base fundamental de la razón, le apliqué corazón e intuición y los 11 pasos del método GESTAR.

7

Método Gestar: Potenciar los recursos

Todo proyecto, sueño o deseo implica una Gestión importante desde un plano más racional pero también desde el Corazón y la Intuición.

En este capítulo se concentra en la Gestión de recursos desde un plano más racional, pero debe agregarse a la receta corazón e intuición. Me baso en los cuadrantes del Project Management Institute (PMI); la metodología de proyectos tradicional se basa en diversas dimensiones que deben gestionarse, y que en mi concepción provienen fundamentalmente de la Razón. No es mi intención profundizarlas aquí, pero sí es importante mencionarlas.

- ✓ **Alcance:** De lo que se quiere lograr, un poco relacionado con el deseo si lo llevamos al plano más personal. ¿Qué queremos lograr? ¿De qué se trata nuestro proyecto, idea? Cuando se quiere Gestar un proyecto, una idea, ¿qué queremos lograr?

- ✓ **Tiempos:** La duración implica saber ¿cuándo quieres lograrlo? ¿Qué pasos vas a dar y en qué tiempo? Administrar el tiempo y valerte de otros recursos para lograrlo, es decir: "Hacerlo con otros o con ayuda de otros".

- ✓ **Recursos Humanos:** Las personas con que cuentas para llevar a cabo tu proyecto.

    - o Aquellos conocidos y no conocidos. Abrirte a una red de colaboración más amplia para lograr tus sueños y los de otros, porque en comunión con otros, Todos Ganan. Si no tienes los recursos, válete de hacer proyectos para que convoque a los recursos que requieras.

- ✓ **Comunicaciones:** Mensajes claros, simples y dirigidos a las personas correctas y en el momento oportuno.

    - o Los mensajes producen expectativas, y las expectativas son subjetivas, por lo cual los invito a que reveamos acciones de gestión del cambio pues un mensaje incorrecto produce resistencia, confusión, ineficiencia, miedos y sorpresas.

    - o Las comunicaciones permiten alinear las percepciones al momento de implementar cambios.

- ✓ **Calidad:** La gestión de la calidad de lo que se quiere lograr y cómo se quiere, roza con los valores con los que uno desea llevar a cabo el deseo. No se trata de verificar o cuidar la calidad al empezar, al terminar, o en determinados momentos. La calidad es un proceso que es continuo, se debe ejecutar los 86,400 segundos de cada día, los 7 días de cada semana. Lo que es periódico son las mediciones. A veces me preguntan sobre la calidad y los valores, y respondo que no hay términos a medias con estos temas, se debe hacer siempre y a todo momento. ¿Qué chequeo de calidad se hace? ¿Qué cruces se hacen a la hora de verificar el verdadero testeo de la calidad?

- ✓ **Riesgos:** Inevitables, pero su impacto es previsible y mitigable, la experiencia permite distinguirlos a la distancia. Se requiere de una cuota de coraje para comunicarlos tan pronto son identificados, en el ámbito correcto antes de que sea demasiado tarde. Existen también los no previstos que se tratarán con una inteligencia multidisciplinaria para generar propuestas creativas.

- ✓ **Adquisiciones:** Se trata de todo tipo de contratación, compra o adquisición que sea requerida para llevar adelante tu proyecto o idea. En general no tomamos en consideración todos los componentes de nuestro proyecto que pueden ser adquiridos, también hay detalles muy menores que pueden retrasar desafíos mayores.

- ✓ **Costos**: Las finanzas del proyecto permiten llegar a buen término, con un plan de costos y disponibilidad de herramientas que permitan conocer la gestión de gastos a lo largo de todo el proyecto.

- ✓ **Integración**: En todo proyecto, idea o sueño, necesitas integrarte con otros recursos humanos o físicos, integrar, entrelazar, colaborar, ayudar y ser ayudado, válete de la integración con otros para potenciar las capacidades del equipo.

✓ **Cierre**: Cada paso o capítulo de la vida requiere una finalización de los temas, un aprendizaje y ajustar para dar el próximo paso. No dejar nada inconcluso. Podés iniciar en paralelo muchas etapas, pero debes asegurarte de ir cerrando hitos, lograr resultados, como en la vida, ir cerrando capítulos, no se trata de tapar, sino Sanar, Superar y avanzar al siguiente paso.

Otros métodos como la Agilidad me permitieron lograr resultados en más corto plazo, lo que a nivel empresarial se conoce como obtención de valor económico en el más corto plazo y así cada hito alcanzado debe permitir obtener el beneficio corporativo o personal.

7. Los pasos para Gestionar Recursos se enmarcan en:

   7.1. **Identificar los recursos necesarios**: en base al alcance podemos identificar cuáles serán los recursos requeridos.

   Preguntas guía: ¿qué tipo de recursos deben ser adquiridos (humanos, físicos, tecnológicos, financieros)?

   7.2. **Planificar los recursos:** algunos de los recursos podrán ser requeridos antes, durante y luego de finalizado el Proyecto. Otros serán solicitados a demanda de acuerdo con la evolución del Proyecto. Cada entrada y salida de los recursos se deben plasmar en el plan integral del Proyecto con fecha de inicio y duración estimada.

   Preguntas guía: ¿en qué instancia del proyecto cada recurso debe ser incorporado? ¿En qué medida y por cuánto tiempo serán requeridos? ¿Quién será responsable de hacer el seguimiento de cada recurso?

7.3. **Administrar los recursos:** de acuerdo con la naturaleza de cada recurso, el mismo deberá ser monitoreado para evaluar en qué medida se hace buen o mal uso del mismo.

Preguntas guía: ¿los recursos tienen la calidad esperada? ¿Hay una falta o exceso de recursos de acuerdo con lo previsto? ¿Qué desvíos presentan según el plan? ¿Qué esquema de medición y reporte se utilizará para medir y comunicar el estado de los mismos según el tipo de recurso? ¿Qué acuerdos se definieron para solicitar nuevos recursos o reducción de los mismos? ¿Qué personas son las asignadas para autorizar o aprobar una solicitud de incorporación, cambio o desafectación de recurso?

7.4. **Evaluación final de eficiencia** del uso de recursos: finalizado el Proyecto, se podrá evaluar en qué medida los recursos fueron capitalizados o subutilizados.

Preguntas guía: ¿cómo fue el desempeño de cada recurso (respetando la misma clasificación: recursos humanos, financieros, físicos/materiales? ¿Qué recurso trajo o aportó beneficios al Proyecto y por qué?

Las metodologías de Gestión del Cambio son brillantes a la hora de aplicarlas a un proyecto o idea empresarial y/o personal. Si no te adentras a gestionar tu propio cambio, te enfrentarás con resultados del pasado.

Lo que puedo compartirte es que cada proyecto profesional o personal es un aprendizaje, algunos son una Maestría y otros son simplemente la aplicación de "n" conocimientos para lograr un producto y/o servicio y/o un aprendizaje.

Paso 7: Potenciar los recursos

Viví muchos proyectos de implementación de sistemas, con muchos riesgos, pero nunca había transitado uno donde esté en juego la vida de toda una familia.

MARIEL ZOCO

Paso 8: Atraer energía positiva

La noche anterior a partir chequeamos todos los papeles con Yusef Saber, que es el cónsul argentino en Rumania. Para poder partir de Ucrania nos exigían documentación de una manera diferente debido a que las instituciones públicas de emisión de partidas no estaban abiertas por situación de guerra. Nos alcanzaba con cuatro pasos para poder obtener el pasaporte, sin el cual no podríamos salir de Kiev. Necesitábamos el pasaporte temporal para Milan.

Contábamos con los primeros papeles, declaraciones juradas, estudios médicos básico, alta médica, contratos, etc. El domingo, Gaby le sacó la foto a Milan, luego mandó todos los papeles que teníamos, y es así como nos mandaron en formato PDF, un pasaporte provisorio.

Teníamos ya la documentación legal para salir de Ucrania, pasó el lunes y emprendimos el último trayecto para regresar. Salir de Kiev fue muy estresante, lo hicimos en auto, las calles tenían más bloques y barreras, así que parecía como estar en un juego virtual de escape, literal salíamos por una calle y como estaba con vallas debíamos tomar otros caminos, era realmente una película de extrema adrenalina. Íbamos en la ruta y queriendo adelantarnos a un auto, otro desde atrás casi nos embiste, y bueno, Dios estuvo ahí, nuestra fe estuvo ahí para seguir adelante. Fueron 3 ocasiones de eventos críticos en medio de la ruta, todos querían salir de Kiev. Hicimos noche en un pueblo, porque el toque de queda nos obligaba a parar. Pasamos la noche y luego seguimos viaje.

Llegamos a Chernovtsi, luego iríamos a la casa de Alina, la ingeniera civil que nos hospedado y tenía nuestras valijas. Empezamos a estar en contacto con cancillería para avisarle que estábamos llegando a Siret donde nos esperaban los cascos blancos, y la embajadora Elena de Argentina en Ucrania.

En realidad, ellos estaban fuera de Ucrania, ya habían evacuado, pero estaban entrando en forma puntual para ayudar a todo argentino en Ucrania. Ver los autos diplomáticos con la bandera argentina en medio de un escenario gris de guerra, era como pisar nuestra tierra en medio del caos, como volver a casa, era tocar el cielo celeste y blanco.

Había personal de la embajada de Argentina en Rumania y cascos blancos. Milan tenía una camiseta de argentina sobre su pecho y al llegar a la frontera, la camiseta de argentina se izó para todos los argentinos que estábamos allí, habíamos salido con vida, gracias a la ayuda de mucha gente, en especial a las embajadas, a los cascos blancos, y a todo el personal diplomático.

Nos vieron, nos abrazamos con gente que ni conocíamos, le tomaron las huellitas a Milan y a la hija de Gonzalo y Adriana. Finalmente firmó su pasaporte el cónsul, quien oficia de escribano en estos momentos de guerra y ya teníamos el pasaporte para poder salir.

Nos íbamos de Ucrania, ¡con nuestros hijos! La embajadora, el cónsul, el personal diplomático y los cascos blancos nos llevaron a almorzar para celebrar ese momento que tanto esperamos. Nos acompañaron también diplomáticos de Rumania.

Luego nos alojamos en un hotel de montaña en Sucevita, un pueblito de sierras, con nieve, donde estaban parando los cascos blancos y nos permitieron hospedarnos ahí. Alquilamos una habitación cada uno, para cada familia con sus bebés.

Ahora… ¿Cómo salir de Sucevita?

Estuvimos dos noches, hacía frío, mucho frío, pero estábamos con nuestros bebés, ahora teníamos que decidir y emprender el "cómo salimos", no el "cómo llegamos", "a dónde nos vamos". Esas dos noches, fueron el lapso que tuvo que transcurrir para "darnos cuenta de que habíamos salido de situaciones de peligro extrema".

Dejamos el hotel y en el trayecto pasamos a buscar nuestro equipaje por la casa de Alina al igual que Gonzalo y Adriana. A Ucrania habíamos entrado con sólo una mochilita.

Empezaron los ofrecimientos por parte de los cascos blancos para hablar con muchos medios de comunicación, sobre todo a Gabriel, quien decide hablar con Elisabetta Piqué, una corresponsal Argentina del diario La Nación. Gaby contó toda su historia, luego nuestra historia, la historia de Milan, y por qué Emma no había podido viajar. La historia salió en la primera plana del diario La Nación en Argentina, el 17 de marzo de 2022.

Permanentemente estábamos en contacto con Emma, sabíamos que estaba muy bien, que al jardín de infantes a veces iba, a veces no iba, tuvimos mucho acompañamiento del colegio, entendiendo el proceso por el cual ella estaba transitando.

Muy bien cuidada por Claudia, a quien consideramos parte de la familia, y por mi mamá, que, con sus 85 años, le hacía la comida y asistía en todo lo que podía.

Las 4 en casa: Emma, Claudia, mi madre y nuestra perra. Todo lo hicieron para que Emma no extrañara sus cosas.

Su tía y madrina Valeria Riccardo pasaba a buscarla los fines de semana, los sábados, para dar un respiro a Claudia y a mi madre y poder disfrutar un lindo día con sus primos. A Aitor y Rufina, sus primos adorados. Sin pensarlo, decidimos dejar algunos papeles a cargo de Valeria por si a nosotros nos pasaba algo. Inmediatamente ella dijo sí. Hoy a la distancia, entiendo que ella procesó lo que significaba esa responsabilidad. Agradecidos a estos seres estupendos por estar presentes siempre. A José Zalazar esposo de Valeria que aceptó abrazar en familia también esta situación.

De vuelta a Bucarest

Decidimos regresar a Bucarest, quería que le hicieran un control médico a Milan.

Tuvimos una consulta con Alina preguntándole cómo podíamos volver, si podíamos alquilar un auto, volver en tren, o en taxi van.

Nos decidimos por una camioneta van, éramos seis viajando, más el conductor, tuvimos unas ocho o nueve horas de viaje desde Sucevita hasta llegar a Bucarest.

Teníamos reservado un apart hotel, ya habíamos consultado cuáles eran los hoteles y las zonas más recomendadas para quedarnos. Nos dijeron cuáles nos convenían y nos indicaron: "vayan al sector dos de la ciudad de Bucarest". Y es así como emprendimos el viaje.

Un momento lleno de recuerdos

Emprendimos el viaje a Bucarest con Dany, el esposo de Alina, la ingeniera civil, que nos llevaría junto a Gonzalo, Adriana, Amelia, Gaby, Milan y yo. Un viaje de 8 a 9 horas en combi calentitos.

Ya estábamos en Rumania con lo cual nos sentíamos seguros, mucho más seguros, por decirlo de alguna forma.

Lo único que nos preocupaba, era que Milan tuviese su control médico y estar seguros de que pudiese subir a un avión. Por eso, mientras viajábamos hacia Bucarest, llamamos a la embajada de Argentina en Rumania, y muy amablemente nos concertaron una cita el lunes con el médico.

Pedimos un turno para Milan y otro para Amelia para que ambos tuvieran el control médico y pudieran chequear si podían viajar. En el transcurso del viaje, Milan era tan pequeño que entraba en mi pecho, y lo abrigaba para mantener su temperatura corporal.

Llegamos a Bucarest, en el sector 2 de Rumania, que es un lugar histórico. Fuimos a una residencia, hermosa, teníamos una habitación amplia con balcones. Nos hizo recordar al barrio de San Telmo en la Ciudad Autónoma de Buenos Aires.

Todas las fachadas de las casas son antiguas, no se pueden cambiar por disposición reglamentaria, no se pueden tirar abajo, aunque sí está permitido remodelar por dentro.

Nuestro deseo era estar en el sector 1 o 2 y ahí estábamos, en esa residencia única, con una pequeña cocina, un baño renovado, teníamos lavadero en el subsuelo, todo nos muy parecía hermoso, pero queríamos quedarnos el menor tiempo posible.

Llegamos un jueves, y nuestra intención era irnos el viernes o sábado, íbamos a esperar al lunes pues la embajada nos había podido conseguir los turnos médicos para ese día. La revisión era un requerimiento previo para saber si Milan estaba en condiciones de viajar.

Teníamos una prioridad, una urgencia que atender, pero nos surgió la necesidad de disfrutar la ciudad, la queríamos conocer más. El viernes nos decidimos y nos animamos a salir un rato, hacía mucho frío, cerca del sector 2 descubrimos un lugar acogedor y tomamos un café con una torta deliciosa.

El sábado fuimos a otro lugar, un hotel tradicional, sentados en una esquina, muy abrigaditos con Milan, viendo desde la vidriera la ciudad.

Nos sacamos fotos. Me transporta a todos los viajes que emprendimos. Cuando visitamos Nueva York, nuestro viaje a Colombia, Providencia, República Checa, Rusia, Alemania, Estados Unidos, Italia, Austria, Tailandia, Vietnam, España, Brasil, entre otras y cuando también recorrimos parte de la Argentina.

El deseo de formar una familia

Vincularnos con aquel pasado donde el deseo de ser padres era: "si no podíamos tener familia, entonces viajaríamos". Dios y el universo nos dieron la posibilidad de tener una familia, y ahora surgía un nuevo deseo, viajar todos juntos.

Todos los viajes estuvieron vinculados con un deseo de conexión, con el deseo de familia, con el deseo de proyectar y disfrutar.

Recorrimos la ciudad viernes y sábado, nos quedaba el lunes, ir a hacer el estudio médico y volvernos finalmente.

8. En cada hito transitado:

   8.1. **Revaloricé el poder de la palabra**: de cada persona que se nos cruzó en camino.

   8.2. **Promoví la red de colaboración y co-creación**: esto fue la piedra angular para alcanzar nuestros deseos. Ser ayudados y ayudar a otros hemos aprendido en la vida es parte de la misión y visión.

   8.3. **Cuidé cada espacio en el cual transitamos**: por más hostil que haya sido, cuide cada espacio para poder pensar, sentir, intuir.

   8.4. **Entrené la inteligencia emocional**: y aún continuo.

10. Reflexiones

11. La conexión es todo, conocer nuevos lugares, nueva gente, nuevos contextos, culturas, pero a su vez con la flexibilidad de las redes que seguíamos en contacto día a día, hora a hora con nuestras raíces, toda la gente que nos apoyó. Recuerdo a mi hermano muy preocupado, a su amigo Leonardo, quien me contactó con el personal diplomático europeo y tanta gente que nos ha ayudado, infinitas Gracias. Nada es casual y todo lo vivido tiene un por qué.
12. Marga, mi terapeuta cuántica, que siempre me ayuda con toda su energía a pensar con una cabeza distinta a la que estamos programados o más bien acostumbrados. Marga, me ayudaba a pensar en positivo, a agradecer al universo el haber llegado hasta este instante y pedirle más y más de eso.
13. Somos uno en el Universo, pensar en positivo y valerte de métodos, de la medicina, la ciencia, la medicina alternativa y desarrollar y hacer nuevas conexiones neuronales, nos llevan a explorar nuevos "mundos" dentro de las estructuras en las cuales fuimos educados, por eso le doy un significado especial al poder de las conexiones, la palabras, a la creación y co-creación de nuevos espacios, al cuidado especial de los lugares por los cuales nos movemos, a entrenar nuestra inteligencia emocional, nuestro cuerpo, mente y espíritu.

Método Gestar: Atraer energía positiva

Los seres humanos somos como un bumerán, atraemos aquello que generamos. La realidad se vuelve un espejo de nuestros comportamiento, deseos, palabras y emociones. El objetivo será entonces generar un contexto positivo para atraer energía positiva.

8. Los pasos para Atraer Energía Positiva se enmarcan en:

   8.1. **Revalorizar el poder las palabras**: conocer el poder de las palabras nos permite mejorar las comunicaciones, mitigar fricciones y generar un contexto sano. Independientemente del rol de cada integrante del proyecto, poder detenernos antes de cada conversación y elegir cuidadosamente nuestras palabras predispone mejor al interlocutor. Las palabras con connotaciones negativas o que generan temor, que esconden miedo deben ser neutralizadas en pos del uso de palabras positivas que motiven y energicen.

   Preguntas guía: ¿las personas se preparan antes de cada conversación? ¿Se procura un lenguaje cuyas palabras energizan el entorno? ¿Se practica en formato de juego el uso de códigos para neutralizar el lenguaje negativo? ¿Se promueve el hábito de agradecer espontáneamente a líderes, pares o equipos de trabajo?

8.2. **Promover la Colaboración y Co-creación**: un equipo que se ayuda crea fuerte lazos como un frente invencible ante toda amenaza. Habrá momentos en los cuales las soluciones no serán fáciles de identificar, donde sólo la participación de miradas de distinto origen den lugar a ideas impensadas individualmente.

Preguntas guía: ¿hay confianza entre los integrantes del equipo? ¿Se promueve la ayuda entre pares? ¿Los líderes piden ayuda? ¿Frente a situaciones críticas se conforman equipos multidisciplinario?

8.3. **Cuidar los espacios de trabajo:** el lugar de trabajo es una de las dimensiones que permiten mejorar la experiencia de las personas. Hoy contamos con múltiples modalidades: el trabajo sólo desde la casa en formato totalmente virtual, o desde la oficina y el híbrido. Cualquiera sea el escenario, las personas necesitan estar cómodas en el lugar de trabajo definido por la política de la compañía y los líderes tienen la responsabilidad de verificar que cumple con las necesidades laborales y emocionales de las personas. Es fundamental tener espacios cómodos para crear, producir e inventar.

Preguntas guía: ¿disponen las personas de todos los recursos para llevar a cabo su trabajo independientemente desde donde trabajen? ¿Cumplen los espacios de trabajo con las condiciones de Salud y Seguridad? ¿Se procura implementar mejoras de manera frecuente? ¿Los espacios están diseñados para fomentar la colaboración?

8.4. **Entrenar la Inteligencia emocional:** regular nuestras emociones implica hacerlas conscientes, la Inteligencia

Emocional se entrena, en sus dos dimensiones: la autorregulación o manejo de emociones para conmigo mismo y la regulación de las emociones para con otros. Implica entender las emociones, aprender a manejarlas, expresar como se siente uno y asumir responsabilidad por cada acto o acción. Un ámbito que impulsa la Inteligencia Emocional promueve un contexto positivo. Utilizar técnicas de inteligencia emocional, como así también otro tipo de técnicas y propuestas alternativas de la medicina, complementarias a la medicina tradicional como ser: biodecodificación, reiki, constelaciones, BQT, meditación entre otras, ayudan a entrenar la inteligencia emocional y el bienestar de nuestro cuerpo, mente y espíritu.

Preguntas guía: ¿cuál será la estrategia por implementar para concientizar a las personas en inteligencia emocional (¿quiénes?, ¿cómo?, ¿cuándo?)? ¿Cuáles son los stakeholders que no consideran a la Inteligencia Emocional como algo prioritario?

Pido al universo las respuestas a los temas en cada momento, ya se nos presentarán eventos, personas, palabras y hechos que nos marcarán los pasos que hay que dar. No nos frustremos si no aparecen los resultados, confía, suelta, y pide.

Paso 9: Gestionar Situaciones Críticas

Pasamos un domingo lindo, tranquilo, eran las ocho y media… nueve de la noche y le dimos la mamadera a Milan. Esperamos que haga su provecho, lo tuvimos su tiempo en brazos y lo acostamos en el medio de la cama, en su capazo, porque no teníamos una cuna separada. Lo pusimos en medio de nuestra cama.

Me invadió una energía extraña, como cuando mi perra se sentó al lado mío y a la hora un chorro de líquido amniótico recorrió mis piernas, cuando tuve que salir para el hospital a internarme por los embarazos que perdí. Una sensación muy rara.

Gaby estaba con su celular, yo estaba parada delante de la cama, y a la hora de haber comido Milan, luego de estar acostado, de costado, Milan vomita. Lanza un vómito, no muy grande, lo levanto y empezamos a ver que Milan no podía respirar bien, como que había tragado parte de esa leche que había expulsado. Se había mezclado un poco en su garganta y en su nariz. Nos miramos con Gaby desconcertados, paralizados hasta que me dijo: ¡vamos! ¡Vamos al sanatorio! ¡Vamos a la clínica!

Nosotros habíamos visto que en la esquina de la residencia había un sanatorio, pero nunca nos percatamos que ese era un sanatorio otorrinolaringológico y no un hospital. Entonces salimos, como pudimos, como estaba, en pijamas, una remera, me puse la campera, las botas, abrigamos al bebé y bajamos.

En planta baja tocábamos el timbre de la recepción, pero no venía nadie, fue un momento de desesperación en búsqueda de ayuda, salimos a la calle, fuimos a la esquina y queríamos entrar al sanatorio otorrino sin saberlo.

Salieron dos guardias y nos dicen: "Esto no es un hospital de emergencias". Miramos hacia la esquina y había un matrimonio con un taxi, y le rogamos en inglés que por favor nos ayudara a ir a un hospital.

Nos subieron, anduvimos unas 10 cuadras, que fueron las 10 cuadras más largas del mundo, y llegamos. La señora se daba vueltas, nos preguntó el nombre de Milan y nos daba ánimo en inglés con acento pronunciado "¡Vamos!" "¡Vamos!" "¡Vamos! Milan". Llegamos a ese hospital de emergencias, entramos, Gaby se quedó afuera, unos seis o siete médicos tomaron a Milan, le pusieron una sondita, lo miraban, lo animaban. Me quedé apartada dentro de la guardia desesperada llorando.

Días difíciles en el hospital

Estaba complicado, se me dio caminar en el hospital, tenía un presentimiento de que todo estaba bien, pero no dejaba de tener temor. Pero ¿qué va a pasar?

Se me acerca una médica y me pregunta: "¿está bautizado?", y yo le digo: "¿qué me estás diciendo? ¿No le vas a dar la extremaunción?". Luego de unos instantes me dice: "Milan está bien, su respiración está bien, podes verlo".

No tenía Paz. Se acerca otra médica para comunicarme: "Milan va a ir a otro hospital, un hospital de niños". Me pedían documentos, yo no tenía nada en ese momento conmigo, no lograba tranquilizarme. No tenía pasaporte, ni tenía celular, ni plata. Había salido sin nada, absolutamente sin nada. Un médico le pidió a Gaby que volviera al departamento a buscar los papeles de Milan y nuestros papeles.

Nos pusieron a Milan y a mí en una ambulancia y le suministraban oxígeno, tan chiquito estaba tapado con un concierto de cables en los dedos. Llegamos a un hospital de niños como si fuese el Hospital Garrahan de Buenos Aires.

Le pregunté a la médica: "y si mi marido vuelve, ¿a dónde tiene que dirigirse?". Llegamos a esa clínica de niños, derivados del hospital público. A Milan lo pusieron en una cunita con mucho calor midiendo su ritmo cardíaco, lo estabilizaron, y empezaron con los estudios, a observar cómo reaccionaba.

Lo primero que le hicieron fue una ecografía de estómago para ver algo sólido que le hubiera hecho vomitar, todo estaba bien en su estómago.

Nos hicieron a los dos el test de PCR, ese famoso PCR que nos volvió locos estos años por el COVID. Le sacaron sangre, le pusieron una vía en una manito, y nos dijeron: "todo estará bien, se quedarán tres o cuatro días en observación". Nos informaron que había aspirado leche y si llegaba a sus pulmones, se podía infectar, entonces le prescribieron un antibiótico genérico hasta tanto tuviéramos el resultado del cultivo en los próximos 3 o 4 días.

Con el resultado negativo de mi PCR nos derivaron a un sector aparte del hospital. Estábamos en una habitación solos, y cuando recibimos el segundo resultado de Milan también negativo, nos trasladaron a una habitación donde había tres mujeres más, tres mamás con bebés.

Todas rumanas, pero una de ellas vivía en España. Había tenido una beba por subrogación con la clínica Biotex, igual que nosotros. También hospitalizada hacía una semana con complicaciones importantes de salud, porque ella había estado en un refugio en Chernivtsi y la pequeña había entrado en el hospital con un cuadro de anemia y de infección urinaria. La situación era más grave que la de Milan, pero tenía buen peso y eso estaba a su favor.

Los bebés que están en situación de guerra, tan pequeños e indefensos pueden contagiarse fácilmente, porque los lugares donde tienen que albergarse no son los más adecuados para un recién nacido.

Ergo, ella me ofició mucho de traductora. Los médicos hablaban en inglés, me podía comunicar con ellos, pero ninguna enfermera que nos atendía durante todo el día habla castellano o inglés, y era muy difícil estar con el traductor de Google, entonces ella amablemente hacía de traductora.

En ese proceso, personal de la embajada de Argentina en Rumania, Carlos María Vallarino se acercó al hospital, se interesó y preocupó por nosotros, habló con los médicos, me ofreció mucha ayuda. Inmensamente agradecida por su labor allí, muy agradecida.

Pasamos cuatro días con Milan, empezamos un domingo, lunes y martes le hicieron los laboratorios de orina y heces, además de un estudio cognitivo para ver cómo respondía a los estímulos porque la falta de oxígeno podría haber impactado.

Era uno de los miedos que más me preocupaba. Ahí se determinó que tenían un temita en la espalda, una contractura probablemente del nacimiento, producto del esfuerzo en el parto, pero frente al resto había reaccionado bien.

Sin embargo, cuando le daban una palmeada no reaccionaba. Le pregunté a la doctora sobre esta situación y me dijo que había una reacción intermitente, pero que no tenía importancia, lo único que habían diagnosticado era el tema de la espalda.

El miércoles nos tocó ecografía de corazón, ya le habían hecho ecografías de estómago, radiografía de cabeza, laboratorios y los resultados confirmaban que se encontraba en perfecto estado. Tenía un poquito de infección en el ombligo, totalmente curable. Con el resultado de la ecografía de corazón me asusté porque me dijeron que tenía un agujerito que en general los nenes son propicios a tener esto abierto y que sí, iba a sanar.

Les pregunté: ¿qué pasa si no se cierra? Me miraron extrañados y me dijeron con firmeza que se iba a cerrar. Me quedé con un temor importante.

Gaby todos estos días me traía ropa, comida, agua y todo el soporte que se podía tener, porque solamente podía estar uno de los dos, y solo podía darle dos o tres minutos a Gaby. Casi no lo veía y necesitábamos su afecto. El también necesitaba vernos, estar solo en un país sin contención y con mucha angustia es muy difícil sobrellevar.

Con Milan estuvimos cuatro días, haciendo esa conexión. Semisentada, porque él tenía que estar inclinado a 30 a 40 grados. Compartíamos la misma cama los dos. Nos sirvió mucho ese período en el hospital a los dos, ayudó a la conexón entre madre e hijo. El jueves fue una alegría total, nos dieron el alta. Nos fuimos al departamento felices y preguntándonos el mismo jueves y viernes ¿qué íbamos a hacer? ¿Viajamos el sábado? Acá comenzaba otro capítulo de decisiones de cómo emprender la vuelta a Argentina.

9. De esta manera, el gran paso para gestionar situaciones críticas, se focalizaron en trabajar en equipo:

9.1. **Relativicé cada problema**.

9.2. **Diagnostiqué cada situación**.

9.3. **Propuse y pedí alternativas** de solución.

9.4. **Definí un plan** de acción **y actué**.

Reflexiones

Y así como el encuentro con Emma fue mágico, el encuentro con Milan tuvo dos momentos muy críticos: llegar a Kiev y encontrarnos en ese lugar de guerra y el rescate de su vida en Bucarest. Pero siempre saco lo bueno de cualquier situación, esa conexión que hicimos los dos acostados en la misma cama, semisentados, con gente que no conocíamos, solos, con la incertidumbre de los resultados médicos, la conexión fue plena. Sentí cómo él me sentía a su lado y yo ahí estaba y no nos íbamos a abandonar el uno al otro. Respirar y oler su aroma a bebe, cara a cara, semisentados, fue mágico: Hicimos conexión y sentí que nuevamente al igual que sentí con Emma en el primer encuentro, se amarraron nuestros corazones y almas.

Los médicos fueron los mejores, muy agradecidos por la médica **Dra. Ioana Oprescu** y todo el equipo médico del Hospital de niños de Bucarest, que pusieron todo el profesionalismo para sacar adelante a Milan, a nuestra familia.

Esto me llevó a otras situaciones críticas que hemos vivido, Gabriel con el parto de su hijo Joshua, hermano mayor de Emma y Milan. Hoy superadas con deporte y mucho esfuerzo tanto de Joshua, su mamá y toda la familia. Las pérdidas de mi padre a los 9 años, mi hermano, los bebés y esto con Milan fueron situaciones de mucha criticidad.

También en la vida profesional hay momentos críticos, si bien la vida no está en juego, pero también se gestionan muchas cuestiones críticas. El trabajo lo tomo con mucha responsabilidad. Lo importante es aprender de cada una, superarlas, sanarlas y avanzar al siguiente escalón o peldaño de la escalera o etapa en la vida. Sí debo rescatar lo que nos deja haber transitado estas situaciones críticas, superarlas, sanarlas, y dar un paso más para la evolución humana, pues a eso vinimos ¿verdad? A aprender y evolucionar.

9

Método Gestar: Gestionar situaciones críticas

Nace un proyecto, aparecen las situaciones críticas, ningún proyecto está exento. Sabiendo que tendremos que superar muchas situaciones que consumirá nuestra energía, debemos contar con un marco de trabajo para encarar y sortear las situaciones límites.

9. Los pasos para Gestionar Situaciones Críticas se enmarcan en:

9.1. **Relativizar el problema:** tomar perspectiva nos permite poner distancia, en esta primera instancia para poder hacer uso de la razón.

Preguntas guía: ¿ante qué tipo de problema estamos? ¿Cuál es la magnitud y su impacto? ¿Qué personas podrían darnos más información o datos para un mejor entendimiento de la situación?

9.2. **Diagnosticar la situación:** cuando las situaciones críticas se presentan solo estamos viendo una parte del problema, el reto consiste en ahondar para encontrar las causas. Es un momento en donde entra en juego la intuición, gran aliada para leer más allá de lo que se nos presenta. Conociendo la raíz del problema será más factible poder diseñar alternativas de solución que sean asertivas.

Preguntas guía: ¿cuáles son las hipótesis de lo que ocurrió? ¿Qué datos podemos recolectar para desafiar la hipótesis o afirmarla? ¿A quién debemos ir por información? ¿A qué conclusiones (insights) arribamos? ¿Cuáles de las hipótesis se confirman y cuáles se descartan?

9.3. **Proponer alternativas de solución:** con las conclusiones sobre las causas que originaron la situación a que nos enfrentamos podemos empezar a proponer ideas, nuevamente usando nuestra intuición que nos revelará opciones que no hubiéramos pensado con la razón.

Preguntas guía: ¿qué ideas surgen a nivel individual (divergencia)? ¿Qué soluciones surgen cuando ponemos las ideas en común (convergencia)? ¿Cómo podemos testear las propuestas de solución antes de ponerlas en acción?

9.4. **Definir un plan y Actuar:** muchas serán las situaciones en las cuales este será el primer paso, se requiere de entrenamiento. Si ejercitamos nuestra mente y nuestro corazón, este proceso se volverá más veloz, evitaremos actuar por impulso y tendremos corazonadas más asertivas.

Preguntas guía: ¿qué consecuencias tendrá no actuar? ¿Cuál son las actividades y en qué orden deben ser llevadas a cabo? ¿Cuál es la urgencia de este plan de solución? ¿A quiénes involucra, a quiénes beneficia y a quiénes perjudica si fuera el caso? ¿Luego de implementado, qué otras actividades serán necesarias, se requerirá de seguimiento?

Paso 10: Aprender y volver a empezar

¿Cómo volver? Nos tocaba decidir si hacer el viaje de vuelta a nuestro país de manera maratónica o con vuelos directos. Mientras intentábamos llamar a la aerolínea y pedíamos cambio de pasajes, optamos por hacer una combinación más directa: Bucarest a París y luego a Buenos Aires.

Comenzamos nuestro regreso, nos tocó un taxista divino que nos pudo mostrar un poco la ciudad de Bucarest, cerca del Arco de Triunfo. Nos contó un poco de la historia, la idiosincrasia. En una hora pudimos disfrutar, aunque fugazmente, de esa ciudad, algo que nos encanta.

Gaby y yo queremos transmitirles a los niños ese gustito de viajar, de conocer ciudades. Nos quedamos con ganas, obviamente, de conocer Transilvania, de conocer más de Rumania, será la próxima vez visitemos ese país, que nos ayudó muchísimo después de Ucrania, así que agradecidos con el universo, agradecidos con Rumania y toda su gente, que nos pudo cobijar, que brindó tanta colaboración, agradecidos con el hospital, agradecidos con los médicos, de una calidez impresionante.

Emprendimos nuestro viaje a París. Ya sobrevolando la ciudad de París, nuestra pasajera contigua nos dice: esa es la Torre Eiffel. Llegamos a París de noche, y a las dos horas partíamos con destino al aeropuerto de Ezeiza, Argentina. Enseguida me vinieron los recuerdos de cuando le dijimos a Emma que íbamos a buscar a Milan, su tío Sergio le había dicho que también iríamos a Paris con una cigüeña grande (un avión). Y así fue. La cigüeña estaba volando de París a Buenos Aires.

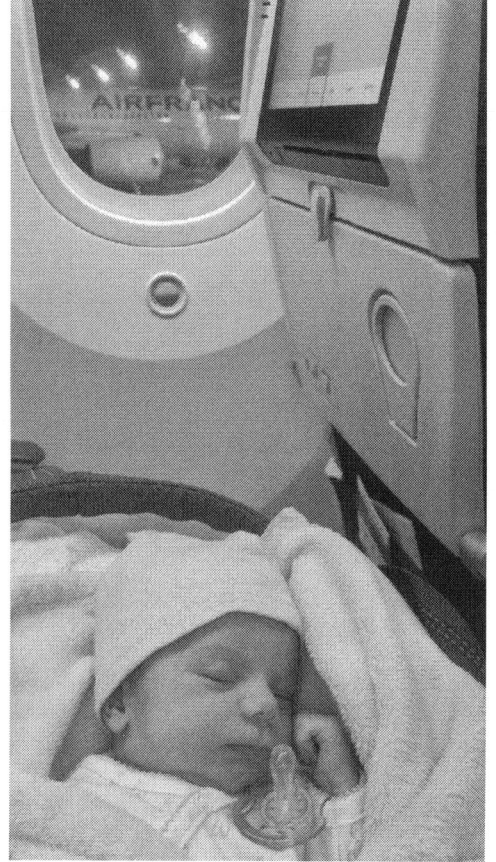

Arribados a Ezeiza Argentina, nos recibió Valeria, tía y madrina de Emma. Y con una alegría inmensa llegamos a casa, el reencuentro con Emma y las familias era algo que anhelábamos, verlos fue recuperar la paz interior.

Agradecidos de este sueño cumplido, este sueño que queremos seguir disfrutando para toda la vida.

PASO 10: APRENDER Y VOLVER A EMPEZAR

Avanzamos ahora otra etapa de la vida los cuatro juntos

Y así es como todo vuelve a empezar, en el año 2019 habíamos vuelto junto a Emma.

Y así es como todo vuelve a empezar, em el año 2022, habíamos vuelto con Milan (ver foto página anterior).

La teoría de los infinitos nos invita a seguir dando la vuelta por los 11 pasos del método GESTAR, pero ahora sí, con otros sueños…, con más y nuevos sueños.

10. De esta manera, recorrimos el paso de volver a empezar:

    10.1. **Realicé retrospectivas**.

    10.2. **Evalué permanentemente** como íbamos.

    10.3. **Medí los beneficios**.

    10.4. **Formalicé las prácticas aprendidas** mediante el método GESTAR.

    10.5. **Establecí un nuevo ciclo**

10

Método Gestar: Aprender y volver a empezar

En el momento que crees que tienes todo bajo control, es cuando te das cuenta de que los pasos son cíclicos y vuelves a empezar. Surgen nuevas iniciativas en el mismo Proyecto o comienzan nuevos proyectos más grandes, más chicos, de diferentes tamaños. Es un ecosistema, o un conjunto enorme de ellos.

Mientras escribía mi libro tuve la oportunidad de ir a una conferencia mundial en los Estados Unidos de la empresa SAP, líder mundial de software de aplicaciones empresariales, y durante esos días, junto a miles de participantes de todos los mercados e industrias, representando más de un centenar de países, pude percibir a través de uno de sus ejecutivos mundiales, Guillermo Brinkmann, el inmenso trabajo que hay que hacer para sincronizar todas y cada una de las partes de un todo universal compuesto por miles de ecosistemas humanos, sociales, culturales, operativos, administrativos y tecnológicos. Junto a más de cien mil empleados, SAP lidera la visión y operación de los asociados, una red de más de 29,000 empresas en más de 100 países. En mi vida personal también observé esto, una visión sistémica, que si profundizamos aparecen cientos y miles de alternativas, con visión y propósito, con un plan táctico y operativo, y con flexibilidad y agilidad para cambiar lo que se necesite para llegar a esa visión/propósito. Esto implica organizar de forma más efectiva un conjunto de acciones, un plan.

El matemático Georg Cantor, matemático ruso, nacido en San Petersburgo, nacionalizado alemán, fue el inventor de la teoría de los conjuntos, base de las matemáticas modernas, conjuntos finitos, infinitos, números Reales. Partió de un abstracto, del infinito y comprobó que el mismo está integrado por conjuntos de diferentes tamaños más grandes y más chicos (ej.: Los números naturales 1, 2, 3 es un conjunto que puede armarse dentro del infinito, otro con el conjunto de números pares y a su vez relacionar los números naturales con sus pares el 2 del conjunto de números naturales le corresponde el 4 y así sucesivamente). Cantor demostró que los números irracionales no son numerables, es decir, no pueden ponerse en correspondencia uno a uno con los números naturales, lo que significa que la infinitud de los irracionales es de orden superior a la de los naturales. Su aporte fue muy importante para las matemáticas modernas. Cantor tuvo gente que lo apoyó y gente que lo desafió siempre, años venideros permitieron a otros matemáticos avanzar en otros estudios también de aporte enorme para las matemáticas modernas. Lo que tomo como desafiante es el "Proceso" que **eligió de hacerse preguntas** y su perseverancia, en su vida y por ser el primero que trae un nuevo concepto tuvo muchas barreras, pero las mismas fueron nuevas preguntas para llegar a su objetivo.

Algunas coincidencias que tengo con George Cantor, y salvando las distancias intelectuales, es que tocamos físicamente algunos puntos geográficos y algunos infinitos comunes y por eso me atrajo su teorema.

10. Basados en las preguntas que se hacía y su perseverancia, me lleva a compartir algunos pasos para volver a empezar nuevos ciclos.

> 10.1. **Facilitar una retrospectiva**: es el momento de evaluar qué se hizo exitosamente, qué aspectos se podrían mejorar y que no debe repetirse. Es un momento de aprendizajes, que hace crecer al equipo y minimizar futuros riesgos. Como dice Jorge Luis Borges: *"la ciencia es un espacio que con nuevos aprendizajes se abren nuevas esferas de conjuntos"*. Y así como Cantor, te invito a hacerte algunas preguntas:
>
> *Preguntas guía*: ¿a quién se debe hacer extensiva la sesión? ¿Cuáles fueron las situaciones que mejor resueltas y de qué manera? ¿Qué haríamos distinto? ¿Qué dejaremos de hacer? ¿Cuál fue el mayor aprendizaje que generó en cada uno? ¿Qué otros conocimientos y redes necesitas ampliar para conocer nuevas esferas?
>
> 10.2. **Evaluar el desempeño de los recursos** (físicos, técnicos, humanos y económicos): medir el desempeño de los recursos que intervinieron en el proyecto de acuerdo con las métricas establecidas.
>
> *Preguntas guía*: ¿el presupuesto estuvo dentro de los márgenes? ¿El proyecto se cumplió dentro de los límites establecidos? ¿La rotación de las personas se mantuvo dentro de lo esperado? ¿Cuál fue el desempeño de las personas considerando la calidad de los entregables y los

plazos del proyecto? ¿Las soluciones tecnológicas estuvieron accesibles al momento de ser requeridas? (hardware/software)? ¿Se implementaron plataformas colaborativas para acelerar la interacción entre los miembros del equipo?

10.3. **Medir los beneficios alcanzados**: establecer una base de medida de resultados esperados para el negocio en términos de incremento de ganancia o reducción de costos al inicio del proyecto parar constatar los resultados. Otra alternativa es optar por la definición de indicadores concretos y concisos como los OKRs que permiten establecer claros objetivos cuantitativos y facilitan el entendimiento a quienes forman parte del proyecto y adicionalmente sirve como elemento de motivación.

Preguntas guía: ¿cuáles son los objetivos cuantitativos y cualitativos esperados por el negocio? ¿Cuál es la prioridad del negocio? ¿En caso de no alcanzar los objetivos, cuáles son los planes de contingencia? ¿Cuáles son las correcciones que deben ser implementadas en base a los resultados obtenidos?

10.4. **Formalizar las prácticas aprendidas**: para que todos se beneficien de los aprendizajes y no tengan que reinventar la rueda, las lecciones aprendidas puede ser democratizadas a través de distintos medios de comunicación para el fácil acceso de los equipos de trabajo.

Preguntas guía: ¿qué medios de soporte son adecuados para viralizar los aprendizajes (videos, infografías, actividades presenciales, podcasts, otros)? ¿Quién será responsable de consolidar las lecciones aprendidas? ¿Cuáles serán las audiencias objetivo?

10.5. **Establecer el nuevo ciclo:** Si quieres seguir adelante, si tienes más deseos y objetivos, vuelve a trazar el método GESTAR, empieza por algún paso, te sugiero el paso 1 **Establecer** y puedes continuar con el 11 **Investigar para entender** o con el que desees, no hay estructuras. Los infinitos implican ciclos que se recorren, ciclos formados por el hemisferio izquierdo y derecho, el Yin y el Yang, un punto de intersección y rodar y rodar, cumplir ciclos y volver a empezar.

Preguntas guía: finalmente, en este nuevo ciclo de infinito, ¿cuál es tu visión y misión? ¿Cuáles son tus metas? ¿Lo planteaste con el corazón y pasión? y ¿algo de intuición?

Paso 11: Investigar para Entender

Paso 11: Investigar para Entender

Estoy agradecida de tener todo lo que logré. Mucho se debe a que fui muy curiosa, no me dejé abatir, siempre estuve en constante búsqueda de soluciones, alternativas. Sabía que había maneras de lograr mis deseos.

Contacté a muchas personas, especialistas de los distintos temas, leí mucho, recopilé mucha información.

Por eso quiero compartirte mis fuentes porque fueron de tremenda ayuda en todo el camino, es la información que me permitió seguir adelante, encontrar respuestas. Hay mucha experiencia a la cual no llegamos por desconocimiento, pero generando redes, contactando unos con otros encuentras las personas adecuadas para cada circunstancia.

Durante la pandemia de COVID-19, viajar ha sido muy difícil debido a las restricciones y medidas de seguridad implementadas para evitar la propagación del virus. Muchos países cerraron sus fronteras, y aquellos que estuvieron abiertos dispusieron que los viajeros cumplan con ciertos requisitos, como presentar pruebas negativas de COVID-19 o cumplir con cuarentenas obligatorias a su llegada. Además, muchas aerolíneas redujeron drásticamente las horas de vuelo donde también las medidas de distanciamiento social en los aviones han limitado la cantidad de pasajeros que pueden viajar al mismo tiempo. En definitiva, viajar durante la pandemia fue un desafío adicional en mi caso particular.

Te dejo a continuación toda la información que considero útil para adentrarse al mundo de técnicas de reproducción. Hoy con dos hermosos hijos Emma y Milan fruto de mucho amor, constancia y superación.

Y si tu proyecto no es el de tener un hijo, usa el medio Investigar para entender para expandir tu red neuronal y que en el proceso de lectura e investigación te lleve a otros lados y poder así conectar con tu sueño.

Método Gestar: Investigar para entender

Este paso, si bien lo presento como el último de la Metodología GESTAR, es una instancia a la que se puede acceder en cualquier momento del proyecto. Al inicio para recopilar información que sea de preparación para los integrantes del equipo, y durante el proyecto, para tener la posibilidad de realizar consultas a expertos o hacer uso de mejores prácticas para los momentos de incertidumbre o de necesidad de innovación.

11. Aquí los subpasos al investigar:

> 11.1. **Establecer la necesidad de conocimiento:** tener claridad sobre el tema que se va a investigar y acotarlo en alcance.
>
> Preguntas guía: ¿cuál es el objetivo de la búsqueda de fuentes de información? ¿Qué se espera encontrar? ¿Cuál es el alcance de temas involucrados? ¿Qué nivel de profundidad es requerido? ¿Cuál son las fuentes de preferencia (Autores idóneos del tema, Universidades, Consultoras, Compañías líderes)?

11.2. **Recopilar la información y clasificar:** las fuentes definidas permiten tener foco en la búsqueda. Se deberá clasificar la información hallada de acuerdo con el tipo de fuente de origen a la cual pertenece, tema y calidad (la data que mejor logra cubrir la necesidad de información).

Preguntas guía: ¿qué reputación tienen el autor? ¿De qué fecha data la información? ¿Cuáles son los criterios de clasificación que se utilizarán?

11.3. **Sintetizar la información:** se refiere a la preparación de temáticas a responder en una matriz de doble entrada, donde las columnas son las inquietudes y las filas los datos. Realizar representaciones visuales que faciliten la lectura.

Preguntas guía: ¿la información contiene datos válidos? ¿Qué esfuerzo implica procesar los datos? ¿Cuáles son las primeras conclusiones a las cuales arribamos? ¿Qué inquietudes o consultas no fueron cubierta con la información obtenida?

11.4. **Tomar decisiones en base a los insights:** finalmente con la información analizada usamos las conclusiones para tomar las decisiones basada en datos. Entendiendo pros y contras de las alternativas.

Preguntas guía: ¿qué ventajas y desventajas traen aparejadas cada una de las conclusiones? ¿Cuál de las opciones tiene el menor riesgo? ¿Los caminos que se tomen pueden ser revertidos?

Causas de Infertilidad

La infertilidad se refiere a la imposibilidad de una pareja para concebir un hijo después de un año de relaciones sexuales regulares sin protección. También se ven imposibilitados de concebir un hijo aquellas parejas del mismo sexo, o personas individuales pues requieren un gameto (o ambos) en donación: el gameto masculino: espermatozoide, o el gameto femenino: óvulo.

La fertilización asistida, puede ser una opción para parejas o personas que luchan contra la infertilidad debido a problemas de ovulación, problemas de órganos reproductivos, problemas de tiroides, problemas del sistema inmunológico o problemas cardíacos. También puede ser una opción para personas que están en relaciones del mismo sexo o que son solteras y desean tener un hijo.

He aquí algunos ejemplos de causas de infertilidad:

Problemas con los órganos reproductivos: pueden presentarse como quistes ováricos, fibromas uterinos o endometriosis que dificultan la concepción.

Problemas de ovulación: la ovulación es el proceso por el cual el ovario libera un óvulo. Tanto la falla ovárica prematura, que es la irregularidad en la ovulación como la anovulación, que es la ausencia de ovulación, provocan infertilidad.

Problemas de hormonales: las hormonas juegan un papel fundamental en el proceso de ovulación. El desequilibrio en la glándula tiroides que puede convertirse en posibles factores de infertilidad se da tanto por el exceso de las hormonas tiroides (hipertiroidismo), la falta de las mismas (hipotiroidismo), o los altos niveles de hormonas (síndrome de ovario poliquístico).

Problemas con el sistema inmunitario: en algunos casos, el sistema inmunitario de una mujer puede atacar al esperma o al óvulo fertilizado, lo que puede dificultar la concepción.

Problemas de peso: las mujeres muy delgadas o con mucho sobrepeso pueden presentar dificultades para quedar embarazadas.

Factor tubárico: las trompas de Falopio pueden bloquearse o dañarse, lo que impide que el óvulo y el espermatozoide se unan.

Infecciones y otras enfermedades: como puede ser las ETS o la endometriosis.

Estilo de vida: el tabaquismo, alcoholismo o uso de drogas también influyen en el proceso de concepción.

Problemas de fertilidad en los hombres: se presenta cuando hay un bajo conteo de espermatozoides o problemas de calidad de los espermatozoides.

Causas desconocidas: a veces no es posible encontrar una causa definitiva para la infertilidad.

Es importante recordar que existen muchas razones por las que una mujer puede tener dificultades para quedar embarazada y cada caso es diferente. Es recomendable contar con un equipo de profesionales sanitarios que incluya un ginecólogo en reproducción asistida, un psicólogo o terapeuta y un nutricionista. El ginecólogo se encargará de supervisar el proceso médico, el psicólogo o terapeuta ayudará a manejar el estrés y las emociones relacionadas con el proceso, y el nutricionista podrá brindar una dieta apropiada para optimizar la salud y el bienestar del cuerpo antes y durante el embarazo.

¿Cuáles son los síntomas de infertilidad?

Varios signos y síntomas pueden indicar la posibilidad de infertilidad en una mujer:

Períodos irregulares o nulos: un ciclo menstrual irregular puede ser un signo de problemas hormonales que pueden afectar la ovulación.

Dolor o sangrado durante el coito: esto puede indicar un problema en las trompas de Falopio o el útero.

Antecedentes de enfermedades ginecológicas: como endometriosis, miomas uterinos o quistes ováricos.

Antecedentes de enfermedad de transmisión sexual: pueden dañar las trompas de Falopio y afectar la capacidad de concebir.

Antecedentes familiares de infertilidad: si un miembro de la familia inmediata ha tenido dificultades para concebir, es más probable que otros miembros de la familia también padezcan las mismas dificultades.

¿La fertilidad es algo físico o psicológico?

La fertilidad es un aspecto físico del cuerpo humano, relacionado con la capacidad de concebir un embarazo. Sin embargo, el estado psicológico de una persona también puede afectar su fertilidad, ya que el estrés, la ansiedad y otros problemas emocionales pueden interferir con la ovulación y la producción de esperma. Por lo tanto, la fertilidad debe ser atendida tanto desde su aspecto físico como psicológico.

> *Me detengo acá especialmente para hacer una correlación con el desarrollo de un proyecto. Muchos líderes creen y argumentan que los resultados de un proceso están relacionados con el talento, la experiencia y la habilidad, sin prestar atención al componente psicológico, por lo que no se detienen a analizar conductas y emociones tóxicas. Una cosa es subir el listón y llevar al límite las habilidades y destrezas, y otra muy distinta producir un deterioro psicológico que podríamos nombrar por decenas. Mi punto de vista es detenerme y analizar la forma óptima y eficiente, no detenerme en los obstáculos.*

¿Qué papel juega la edad en la fecundación?

La edad juega un papel importante en la fertilización dado que la capacidad reproductiva de la mujer disminuye con el tiempo. A medida que la mujer envejece, la cantidad y calidad de los óvulos disminuye, lo que aumenta el riesgo de problemas de fertilidad y embarazo problemático.

Los hombres también experimentan cambios en la fertilidad con la edad, aunque estos cambios son menos pronunciados que en las mujeres. De todos modos, se ha demostrado una disminución en la calidad del esperma y un mayor riesgo de problemas genéticos en la descendencia. Por lo tanto, la edad es un factor importante para considerar en la fertilización y la planificación del embarazo.

Impacto emocional de la infertilidad

¿Qué otros desafíos se enfrentan?

Las mujeres que enfrentan problemas de infertilidad pueden enfrentar una variedad de dilemas emocionales y personales. Algunos de los dilemas más comunes incluyen:

Decisiones de tratamiento: las mujeres que tienen dificultades para quedar embarazadas deben decidir si buscan tratamiento o no. Esto puede incluir la consideración de opciones como la fertilización in vitro (FIV), el uso de medicamentos estimulantes de la ovulación o la adopción.

Sentimiento de pérdida: muchas mujeres sienten una gran pérdida cuando enfrentan problemas de infertilidad porque no pueden tener hijos como lo habían planeado o esperado. Esto puede ser especialmente difícil de digerir para aquellos que siempre han soñado con tener hijos.

Estrés y ansiedad: los problemas de infertilidad pueden causar estrés y ansiedad cuando las mujeres intentan decidir qué hacer y cómo manejar su situación.

Presión social: las mujeres pueden sentir presión social para tener hijos y pueden sentirse juzgadas o excluidas por no ser madres.

Problemas de relación: los problemas de infertilidad pueden afectar la relación de la pareja, ya que pueden crear tensión y dificultades emocionales para ambos.

Es importante recordar que todas las personas son diferentes y que todos tratan los problemas de infertilidad de manera distinta. Si una mujer está luchando contra la infertilidad, es importante que busque el apoyo y la comprensión de familiares, amigos y profesionales de la salud.

La decisión de tener hijos

¿Cómo entender el cambio de vida con los niños?

Cuando una pareja tiene hijos, su vida cambia radicalmente. Se convierten en padres y sus responsabilidades aumentan. Puede generar cambios en su tiempo libre, finanzas y relación. También puede ser una experiencia emocionalmente gratificante y amorosa, aunque a la vez estresante y agotadora.

Ambos integrantes de la pareja tienen que estar preparados para el cambio y trabajar en equipo para asumir una vida con niños, implica prepararse emocional y prácticamente para las nuevas responsabilidades y desafíos que trae la paternidad. Aquí hay algunas cosas que pueden ayudarte a comprender el cambio:

- ✓ Habla con otros padres y obtiene la perspectiva de su experiencia.
- ✓ Lee libros o artículos sobre el tema para obtener información y consejos útiles.
- ✓ Asiste a clases o talleres para padres para aprender habilidades importantes como la crianza de los hijos, la nutrición y el cuidado de los niños.
- ✓ Acepta que no siempre será fácil y que a veces está bien sentirse abrumado o agotado.
- ✓ Trabajen en pareja para establecer metas y objetivos, construir un sistema de apoyo mutuo y acordar prioridades.
- ✓ Acepta que el cambio es constante y que tienes que estar preparado para adaptarte a las necesidades y desafíos a medida que vayan surgiendo.

Métodos de fertilización asistida

La adopción y la fertilización son las dos de las opciones más estándares para tener un hijo.

La adopción es el proceso legal de tomar a un niño que ya ha nacido y darle un hogar permanente. Este puede ser un proceso largo y complejo, ya que implica cumplir con los requisitos legales y pasar por muchas evaluaciones que determinan si eres elegible para la adoptar un niño. Una vez finalizado el proceso de adopción, el niño se convierte en miembro legal de la familia adoptiva y tiene los mismos derechos y deberes que un niño biológico.

La fertilización asistida es un procedimiento médico utilizado para ayudar a parejas o personas que tienen dificultades para quedar embarazados de forma natural. Existen varias técnicas de fertilización asistida, entre ellas:

Inseminación artificial: la inseminación artificial es un proceso mediante el cual se introduce el esperma de un hombre en el útero de una mujer a través de un catéter.

Fertilización In Vitro (FIV): la fecundación in vitro es un proceso en el que se extraen los óvulos de una mujer y se fecundan con esperma en un laboratorio. Luego, el embrión se implanta en el útero de una mujer. El uso del óvulo y esperma puede ser de la pareja o donantes. La fertilización in vitro se desarrolló por primera vez en 1978 y desde entonces se ha utilizado con éxito para ayudar a las parejas con problemas de fertilidad.

Inyección Intracitoplasmática de espermatozoides: es la fertilización de un óvulo fuera del cuerpo de una mujer, en la cual se usa una Inyección intracitoplasmática de espermatozoides (ICSI) para inyectarlo directamente en el óvulo.

En todas las opciones previamente mencionadas, los óvulos se extraen de los ovarios de la mujer mediante un procedimiento médico llamado "foliculogénesis controlada". El semen se toma del hombre utilizando una muestra de semen.

Embarazo subrogado: una mujer lleva el niño en su vientre para la pareja o la persona que tiene dificultad para concebir un hijo.

Acogimiento familiar temporal: cuando un niño, niña o adolescente necesita un hogar temporal porque su familia no puede cuidarlo temporalmente.

Es importante tener en cuenta que cada opción tiene sus propios desafíos y requisitos legales, y es recomendable hablar con un profesional para comprender mejor las opciones disponibles antes de tomar una decisión.

¿Qué estadísticas se conocen sobre los resultados?

Los diferentes métodos de fertilización asistida tienen diferentes tasas de éxito. La tasa de éxito depende de varios factores, como la edad de la mujer, la causa subyacente de la infertilidad y el protocolo específico utilizado.

La fecundación in vitro (FIV) es uno de los métodos más comunes de reproducción asistida. La tasa de embarazo por ciclo de FIV es del 30-35%.

La inyección intracitoplasmática de espermatozoides (ICSI) es una técnica utilizada para tratar la infertilidad masculina. La tasa de embarazo por ciclo de ICSI es del 20-30%.

La donación de óvulos es una técnica que se utiliza cuando una mujer no tiene óvulos funcionales. La tasa de embarazo por ciclo de donación de óvulos es del 30-40%.

La tasa de éxito de la gestación subrogada (GPA) varía según varios factores, incluida la edad de la Gestante subrogada, la causa de la infertilidad de la receptora y el protocolo utilizado. Sin embargo, en general, las tasas de éxito de la gestación subrogada son similares a las de la fertilización in vitro (FIV) y la donación de óvulos. La tasa de embarazo por ciclo de gestación subrogada es del 40-50%.

Es importante recordar que estas tasas de éxito son promedios y pueden variar según las circunstancias individuales. También hay que considerar que no garantizan un embarazo viable o un bebé sano.

¿Cuáles son los riesgos de la reproducción asistida?

La reproducción asistida puede tener ciertas desventajas, entre ellas:

Costo: los tratamientos pueden ser costosos y es posible que los seguros médicos o de empresas no los cubran.

Riesgos para la salud: aunque la reproducción asistida es generalmente segura, algunos tratamientos pueden presentar ciertos riesgos para la salud, como la formación de quistes ováricos o hinchazón del abdomen.

Posibilidad de embarazos múltiples: dependiendo de la cantidad de embriones introducidos en el cuerpo de la Gestante, el proceso puede dar lugar a embarazos múltiples, lo que contribuye al riesgo de complicaciones durante el embarazo y el parto.

Necesidad de medicamentos: algunos tratamientos de reproducción asistida requieren el uso de medicamentos para estimular el crecimiento de los folículos ováricos o para controlar el ciclo menstrual. Estos medicamentos pueden tener efectos secundarios.

Creación de embriones sobrantes: hay que analizar que se pueden dar lugar a la creación de embriones sobrantes que no se utilizan ni se congelan.

Ética: surgen situaciones donde habrá que tomar decisiones importantes, tales como el desarrollo de embarazos múltiples, el uso de ovocitos donados, o la donación de embriones con fines de investigación.

Éxito no garantizado: aunque los tratamientos pueden funcionar para muchas personas, no es una garantía de que la mujer quede embarazada. El éxito de la reproducción asistida depende de muchos factores.

Cambios de humor: también pueden causar trastornos menstruales y cambios en el ciclo menstrual que pueden afectar el comportamiento de la mujer.

¿Cuántos procedimientos de reproducción asistida puedo hacerme al año?

La frecuencia de los procedimientos de fertilización asistida depende de varios factores, como la edad de la mujer, la causa de la infertilidad, la respuesta del organismo a los tratamientos, la disponibilidad de recursos económicos y médicos.

En general, se recomienda que las personas y parejas que se someten a tratamientos de reproducción asistida no tengan más de dos o tres ciclos por año, ya que el proceso de reproducción asistida puede ser exigente física y emocionalmente para la mujer y puede aumentar el riesgo de complicaciones.

Si bien cada caso es único, la frecuencia de los tratamientos debe ser determinada por el médico tratante de acuerdo con las necesidades individuales y situación de cada persona o pareja.

¿Cómo se manejan los embarazos múltiples?

Los embarazos múltiples son tratados con atención especializada y un estrecho seguimiento por parte del equipo médico. Los embarazos múltiples conllevan un mayor riesgo de complicaciones para la madre y los fetos, por lo que requieren atención y control prenatal más frecuentes.

Algunas de las medidas tomadas en consideración son:

- ✓ Monitoreo de la frecuencia cardíaca fetal.
- ✓ Ecografías periódicas.
- ✓ Control del crecimiento fetal.
- ✓ Control de complicaciones como hipertensión arterial durante el embarazo.

La madre debe ser consciente de los riesgos y seguir todas las recomendaciones del médico.

En embarazos múltiples con alto riesgo de complicaciones, se puede considerar una cesárea planificada para garantizar un parto seguro.

En embarazos múltiples les recomiendo a las parejas leer todo el material que tengan a su disposición sobre mellizos, trillizos, y familias múltiples **antes del parto**, pues luego cuando nazcan habrá días que el agotamiento será demoledor, pues estos simpáticos bebés tienen a veces la habilidad de turnarse para comer o dormir, y esto puede ocasionar largas sesiones atendiéndolos sin lugar a descanso. Y sin pensar siquiera cuando uno de ellos tiene mocos, o enfrenta una dificultad. Recordemos que los bebés no se soplan la nariz solitos, nada hacen solitos.

Estudios Requeridos Para el tratamiento de Fertilización Asistida

Los estudios médicos que se realizan para la fertilización asistida varían según el caso de cada persona o pareja. Sin embargo, en general, los que se solicitan habitualmente son:

Exámenes físicos: valora el estado general de salud de la persona o pareja y detecta cualquier situación que pueda interferir en la concepción.

Pruebas de laboratorio: evalúa la función reproductiva de la persona o pareja. Estas pruebas pueden incluir análisis de sangre para medir los niveles hormonales, análisis de orina para detectar problemas de ovulación y pruebas de seminograma para evaluar la cantidad y calidad del esperma.

Examen de anatomía reproductiva: evalúa el estado de los órganos reproductivos y detectar cualquier anomalía estructural que pueda afectar a la fertilidad. Estas pruebas pueden incluir ecografías pélvicas y laparoscopias.

Pruebas genéticas: analiza la presencia de problemas genéticos que puedan afectar la fertilidad o al embarazo.

También se necesita un análisis de orina, se utiliza para evaluar la función renal, detectar posibles inconvenientes de salud relacionados con los riñones y evaluar la función reproductiva para detectar posibles complicaciones con la ovulación.

Para realizar una prueba de orina para reproducción asistida, se toma una muestra de orina y se somete a una serie de pruebas que miden la concentración de diferentes sustancias presentes en la orina. Algunas de las sustancias que se pueden medir durante una prueba de orina AHR incluyen:

Hormonas: se miden los niveles de hormonas como la hormona luteinizante (LH) y el estrógeno para evaluar la función ovárica que pueda impactar la ovulación.

Proteína: se miden los niveles de proteínas como la albúmina y la creatinina para evaluar la función renal.

El análisis de orina para ácidos orgánicos es una prueba que se realiza para evaluar el metabolismo de ciertos aminoácidos y detectar trastornos metabólicos y se realiza mediante una técnica de laboratorio llamada cromatografía líquida de alta resolución (HPLC).

La prueba mide la cantidad de ácidos orgánicos presentes en la orina. Los niveles anormales de ácidos orgánicos pueden indicar un trastorno metabólico subyacente, como una enfermedad hepática o un trastorno genético.

En la reproducción asistida, la HPLC se puede utilizar para evaluar la calidad del esperma y determinar si hay algún problema que pueda afectar la fertilidad.

En el proceso de producir el embrión, se extrae esperma del hombre y se mezcla con los óvulos de la mujer.

A través de esta técnica se puede evaluar la motilidad y la viabilidad (capacidad de fertilizar) de los espermatozoides. Además, la HPLC también se puede utilizar para analizar el semen en busca de ciertas proteínas, que pueden proporcionar información sobre la fertilidad.

¿Qué es un análisis de sangre del nivel hormonal?

Un análisis de sangre del nivel hormonal es una prueba de laboratorio que se usa para medir la cantidad de diferentes hormonas en la sangre.

Las hormonas son sustancias químicas producidas por las glándulas endócrinas del cuerpo que realizan funciones esenciales en el cuerpo, como regular el metabolismo, el crecimiento y el desarrollo, y controlar el sistema reproductivo.

En el contexto de la procreación asistida, los análisis de sangre de los niveles hormonales permiten evaluar la función reproductiva de la persona o de la pareja.

Por ejemplo, los niveles de hormonas como la hormona estimulante del folículo (FSH), la hormona luteinizante (LH) y el estrógeno se pueden medir para evaluar la función ovárica y detectar posibles problemas con la ovulación.

Los niveles de hormonas como la hormona tiroidea (T3 y T4) y la hormona adrenocorticotrópica (ACTH) también se pueden medir para evaluar la función de la glándula tiroidea y suprarrenal y detectar posibles problemas endócrinos.

La fertilización asistida resultó exitosa

¿Qué decisión se debe tomar para evaluar el estado del niño durante el embarazo? ¿Por qué hacerlo y por qué no?

Durante el embarazo, se pueden realizar pruebas para evaluar el estado del bebé. Estas pruebas incluyen ecografías, exámenes de detección de enfermedades genéticas y otras pruebas de diagnóstico prenatal.

Hay varias razones para ejecutar estas pruebas:

- ✓ Detectan problemas de salud temprano, lo que permite a los médicos y las familias planificar y prepararse para el parto y el cuidado del bebé.

- ✓ Ayudan a determinar el pronóstico para el bebé y la madre.

- ✓ Pueden ayudar a las familias a tomar decisiones informadas sobre el embarazo y el parto.

- ✓ Pueden ayudar a detectar problemas genéticos y de salud que pueden tratarse antes del nacimiento.

Sin embargo, también hay razones por las que algunas personas pueden optar por no hacerse estas pruebas. Éstos incluyen:

- ✓ El riesgo de un resultado falso positivo, que puede causar ansiedad y estrés innecesarios.

- ✓ El riesgo de un resultado falso negativo, que puede dar una falsa sensación de seguridad.

- ✓ El riesgo de un resultado ambiguo, que puede crear incertidumbre y dificultad para tomar decisiones con un alto nivel de desinformación.

- ✓ El riesgo del diagnóstico prenatal que puede conducir a decisiones difíciles como el aborto.

Aquí quiero poner énfasis en las pruebas. Muchas son invasivas y pueden producir entre el 0,5 y el 1% de riesgo de aborto espontáneo.

Una de ellas es la prueba de trisomía que detecta la presencia de tres cromosomas en lugar del par habitual, lo cual deviene en riesgos genéticos que pueden impactar la vida del bebé o tener que afrontar una vida con dificultades de origen genético.

Nada garantiza que traer una vida al mundo, a una familia, no implique atravesar grandes desafíos. Lo único que puedo decir es que los niños siempre tendrán un amor y energía incondicional sea cual sea la situación y decisiones de los padres.

Tuvimos Una Pérdida, ¿Cómo La Afrontamos?
RESILIENCIA

Las pérdidas, como es el caso de la pérdida de un embarazo, pueden ser muy difíciles de superar. Cada persona experimenta el duelo de manera diferente y no existe un "momento adecuado" para superar una pérdida. Es importante permitirse sentir y expresar las emociones que surgen, aunque sean difíciles de manejar.

En mi caso personal he pasado por varias pérdidas, algunas tremendamente dolorosas, por lo cual deseo compartirles que el camino de dar VIDA es un camino lleno de energía que nos dará la fuerza en los momentos críticos. Cuando perdí un embarazo gemelar a los cinco meses de gestación, tuve que recurrir a terapia, incluyendo tres profesionales a la vez en un momento. Es doloroso, es importante contar con ayuda externa.

Invito a las personas a pensar que siempre vale la pena traer VIDA al mundo, por lo cual, frente a las pérdidas, aconsejo no sucumbir, no evadir el duelo, enfrentarlas con paciencia, amor y mucha aceptación y sinceridad. Aquí comparto algunos consejos:

Hablar con un terapeuta o consejero: un profesional de la salud mental puede ayudarnos a controlar las emociones y encontrar formas de lidiar con el dolor.

Hablar con amigos y familiares: rodearte de personas de confianza que te entiendan y te apoyen puede ser un gran consuelo.

Encontrar una manera de honrar la pérdida: esto puede incluir escribir una carta, hacer una ofrenda o participar en una actividad que recuerde a la persona o sueño perdido.

Aceptar ayuda y apoyo: aceptar la ayuda y el apoyo de amigos y familiares puede ser difícil, pero es esencial para superar la pérdida.

La resiliencia es una habilidad que se desarrolla, es la capacidad de adaptarse y superar situaciones difíciles. A medida que se supera la pérdida, se pueden encontrar nuevas formas de disfrutar la vida y seguir adelante.

¿Cómo recuperarse de la tristeza?

La tristeza es una emoción normal y necesaria, pero puede ser difícil de manejar cuando se vuelve crónica o debilitante.

Aquí hay algunos consejos para ayudar a superar la tristeza:

Practica meditación o yoga: ayudan a reducir el estrés y la ansiedad y aumentar la sensación de bienestar.

Ejercita con regularidad: el ejercicio libera endorfinas, que son sustancias químicas en el cerebro que mejoran el estado de ánimo.

Encuentra ayuda en grupos de apoyo: hablar con personas que están pasando por situaciones similares te hace sentir menos solo y más comprendido.

Establece metas y objetivos: tener metas y objetivos a corto y largo plazo te da un sentido de propósito y logro.

Practica la gratitud: centrarte en las cosas buenas de la vida te cambia tu perspectiva y aumenta tu sensación de bienestar.

Toma decisiones: incluso tomar decisiones pequeñas te permite tomar más control de las situaciones y sentirte menos abrumado.

La tristeza no es algo que se pueda superar de la noche a la mañana, requerir tiempo y esfuerzo. Se trata de ser paciente y comprensivo con vos mismo y buscar ayuda si te sentís atrapado en un ciclo de tristeza que no puedes superar.

¿Se lo comunicamos a los hermanos?

Cuando hay otros hijos en la familia, la decisión sobre cómo comunicar a los hermanos un aborto espontáneo o una dificultad para concebir, depende de cada situación particular y de cada familia.

Algunas cosas para considerar al tomar esta decisión incluyen:

La edad y madurez de los hermanos: si son muy pequeños, es posible que no entiendan del todo la situación o tengan dificultades para aprehenderla.

Relación entre hermanos: si hay una buena comunicación y relación con los hijos, es más probable que los hermanos entiendan y apoyen a los padres.

Nivel de comodidad de los padres: si los padres se sienten cómodos discutiendo la situación con los hermanos, es más probable que puedan brindar una explicación clara y comprensible.

Nivel de curiosidad de los hermanos: si los hermanos hacen preguntas o están interesados en el embarazo o la concepción, los padres pueden optar por responder a sus preguntas y proporcionar información.

Es importante tener en cuenta que la comunicación debe ser simple, clara y apropiada para la edad de los hermanos. Es importante evitar detalles innecesarios o complejos. También se recomienda que los padres se aseguren de que los hermanos entiendan que no es su culpa y que están ahí para ellos.

De cualquier manera, es importante tener en cuenta que los padres son los mejores jueces de lo que es mejor para su familia y sus circunstancias particulares. La honestidad y la comunicación abierta siempre son importantes, pero también es importante tener en cuenta el bienestar emocional de todos los miembros de la familia.

¿Cómo se lo comunicamos a nuestros amigos y familiares?

La decisión de comunicar un aborto espontáneo o una dificultad para concebir a amigos y familiares también depende de cada situación individual y familiar.

Algunas cosas por considerar al tomar esta decisión incluyen:

Nivel de comodidad de los padres: si los padres se sienten cómodos discutiendo la situación con amigos y familiares, podrán brindar una explicación clara y comprensible.

Nivel esperado de apoyo: cuando se espera apoyo y comprensión de amigos y familiares, es recomendable compartir las noticias.

Nivel deseado de confidencialidad: pueden optar por no compartir la noticia y mantener la situación en privado, solo abrirse con amigos y familiares.

Tiempo que ha pasado: si ha pasado tiempo desde la pérdida, puede ser más difícil explicárselo a amigos y familiares.

Nivel de cercanía con las personas: los padres pueden preferir compartir noticias solo con personas muy cercanas.

De cualquier manera, es importante ser honesto y directo al dar la noticia, como también respetar los sentimientos y preferencias de otras personas.

Puede ser útil preparar una breve explicación antes de hablar con alguien y estar listo para escuchar y aceptar cualquier reacción que pueda tener.

No todos los amigos y familiares entienden o reaccionan de la manera que vos querés que lo hagan, y es importante ser comprensivo con ellos. Rodéate de personas en las que confías y te apoyan y anímate a pedir ayuda si la necesitas.

¿Cómo afectan a la pareja e individualmente los intentos de embarazo?

Los intentos de tener un bebé pueden tener un gran impacto tanto en la pareja como individualmente. Puede ser una experiencia emocionalmente estimulante y al mismo tiempo puede causar mucho estrés y ansiedad. Algunos de los impactos más comunes incluyen:

Estrés: se produce debido a que la infertilidad se vive como una permanente frustración se incrementa en cada intento.

Ansiedad: ambos miembros de la pareja pueden padecer ansiedad debido que están ante la incertidumbre y la posibilidad de un resultado negativo.

Estrés financiero: los tratamientos de fertilidad pueden ser costosos resultando en un impacto financiero para la pareja.

Cambios en la relación: los intentos de embarazo generan cambios en la dinámica de la relación debido a la tensión y presión.

Cambios en la sexualidad: las exigencias que cada individuo percibe en el proceso pueden afectar la intimidad de la pareja.

Impacto en la autoestima: querer tener un bebé y no poder concretar el deseo tiene un impacto en la autoestima, ya que puede crear frustración

La crio preservación de gametos

La congelación de óvulos o esperma puede ser una buena opción especialmente para aquellas que desean aumentar sus posibilidades de tener hijos en el futuro, o quienes enfrentan tratamientos que ponen en riesgo la futura calidad de su material genético, tal como tratamientos oncológicos.

La congelación de óvulos permite a las mujeres preservar su fertilidad antes de que su reserva ovárica disminuya con la edad. Sin embargo, también es importante tener en cuenta los siguientes factores:

Costo: el proceso de congelación de óvulos puede ser costoso y no está cubierto por todos los seguros médicos.

Eficacia: la tasa de éxito de los embarazos tras la descongelación de óvulos aún no es tan alta como con otras técnicas de fertilización asistida.

Efectos secundarios: el proceso de recolección de óvulos puede traer aparejados dolores abdominales, hinchazón y sangrado.

Consideraciones legales: la congelación de óvulos y su uso futuro presenta restricciones legales en algunos países o ciudades.

La Subrogación

Dado que en mi caso elegimos con mi pareja a la organización Biotex en Ucrania, les quiero detallar algunos aspectos de interés.

En Ucrania funcionan las empresas intermediarias especiales. A menudo, se trata de las mismas empresas que contratan personal. Ellos ponen sus anuncios en el campo de la maternidad subrogada y de la donación de óvulos. Si bien han surgido más de 50 clínicas en el país, Biotex lidera el 90% de participación del mercado.

La donación de óvulos es un área de mucha demanda. Ucrania solo está dando sus primeros pasos, mientras que Italia lo está liderando. Países como España, la República Checa, Chipre y Eslovaquia comenzaron también su participación en este tema.

En Brno, Eslovaquia, hay más clínicas de donación que las clínicas en Kiev en general. El mundo entero observa que Ucrania sigue obteniendo buenos resultados en el sector de la TRHA (Técnicas de Reproducción Humana Asistida).

Pienso que es necesario desarrollar el turismo médico. En Ucrania evolucionó la reproducción. A su vez Turquía y Bielorrusia son expertos en transplantología, que es un campo de la medicina que implica el estudio de trasplante de órganos y la perspectiva de la creación de órganos artificiales.

Cada día surge algo nuevo. Ucrania también está trabajando en las células troncales y van a abrir un centro de biotecnología europeo en Leipzig. Se está construyendo un centro para el tratamiento de la apoplejía con células madre en Kiev. Desde febrero del 2022 que el país entró en guerra con Rusia, se han alterado muchos de esos planes, pero siguen en pie y avanzando.

El factor crítico para establecer un proceso de subrogación de vientre es que la Gestante no brinde su material genético (óvulos) en el proceso, no debe haber conexión biológica con la Gestante.

En los años 70, cuando todo comenzó, dijeron que los tratamientos serían para un pequeño porcentaje de la población, pero luego observamos que la OMS (Organización Mundial de la Salud) informa un piso de 50 millones de personas con dificultades para tener hijos.

Al igual que con los teléfonos móviles: los principales analistas declararon que los celulares eran caros y sólo una pequeña parte de la población los tendría ¿y que tenemos hoy? Hay más de 2 billones de personas conectadas a redes sociales gracias a los teléfonos inteligentes.

Lo mismo pasa con los tratamientos. Hoy en Europa, según las estadísticas, hay una importante cantidad de bebés gestados gracias a los métodos de reproducción asistida. En el año 2021 en España se han inscripto aproximadamente 2,500 niños por subrogación, cerca del 1% del total de nacimientos. Los expertos dicen que en 30-40 años podrán ser más de un 20%. ¿Por qué? Porque en base a las estadísticas sociales de la Organización Mundial de la Salud, la calidad del esperma está disminuyendo.

Antes se consideraba normal tener tres hijos en un lapso de 18 años, y ahora las mujeres apenas comienzan a pensar en un hijo después de los 35 años.

Las personas primero construyen una carrera o una actividad de sustento económico, y luego analizan tener hijos. Jennifer Aniston, la famosa actriz protagonista de la serie Friends dijo que le hubiera gustado analizar de más joven la posibilidad de crio preservación de sus óvulos.

Al mismo tiempo la esperanza de vida también está creciendo, sabemos que hoy supera los 70 años. Por lo tanto, la medicina reproductiva crecerá, y aparecerán nuevos dilemas, la cantidad de programas aumentarán.

Las madres subrogadas (Gestantes) también se ofrecen para el proceso varias veces. Hay un caso en Biotex que ya gestó cuatro bebés. Pero eso no es el límite. Carol Horlock, británica, dio a luz a más de diez niños con su vientre para otras personas, la última vez a la edad de 48 años.

Esto comienza a ser habitual, biológicamente una mujer puede Gestar tanto a los 60 como a los 70, lo importante es que la calidad de los embriones sea buena.

La subrogación de vientre y la donación de óvulos comienza a ser un trabajo altamente remunerado. Sin mencionar la mirada altruista de ayudar al prójimo y principalmente la de traer una nueva vida al mundo.

La legalización también avanza. En las organizaciones mundiales hay grandes debates, pero en todos los casos, año tras año se logran nuevos avances y leyes. Soy partidaria de regular, supervisar y ayudar, en vez de prohibir desde una mirada prejuiciosa que podríamos considerar antigua.

Considero que en los países donde existe mayor legislación, hay menos enfermedades de transmisión sexual, niveles más bajos de SIDA, y mayor salud en la población. Cuantas más leyes haya, más fácil será establecer posiciones éticas y morales.

Es importante desarrollar mejores prácticas. De la misma manera que las personas de Seguridad e Higiene continuamente ayudan a disminuir los accidentes en el trabajo, en el mismo camino se trabaja en todos los aspectos de la medicina.

Estoy convencida que año tras años iremos observando menos casos de defectos genéticos y más niños saludables, pero en el camino de explorar alternativas siempre aparecen riesgos.

La función de toda la sociedad es cuidar la VIDA, y ahí me quiero detener. Si es necesario hacer más análisis, más actividades y más estudios para cuidar la VIDA, siempre es el camino. **Escribir un libro llamado Método Gestar para introducir estos conceptos en las empresas desde el punto de vista de la diversidad, y al mismo tiempo dedicar a mis hijos una parte de su historia puede ser mi contribución.**

Quiero detenerme ahora en describir a la Gestante. Tiene una enorme responsabilidad, será la casita donde la vida se desarrolla en su primera etapa de vida para luego nacer y venir al mundo y cumplir el sueño de muchas personas de ser padres.

En primer lugar, la Gestante debe ser sana. En segundo lugar, la Gestante no debe tener malos hábitos, ningún problema que pueda traer otras complicaciones tales como el consumo de alcohol, drogas o tabaco.

Hay que considerar tests que permitan evaluar estos temas. Y principalmente debe haber un acuerdo previo legal y certificado, repito, previamente establecido.

El acuerdo puede ser altruista, que es cuando una persona es conocida de las personas que encargan el bebé (se llaman comitentes o requirentes), o también puede ser altruista "y" económico, pues claramente la Gestante deberá dedicar meses de su vida a una actividad 24x7 que impactará directamente en sus hábitos, ropa, nutrición, salud y en las cuatro áreas de un ser humano: espiritual, física, emocional y económica.

Todo debe estar previamente escrito en el acuerdo. En Argentina, al no haber leyes que regulen con exactitud las actividades de la Gestante, se oficia que el acuerdo esté validado por un juez. Hay que evitar imprevistos.

Los esfuerzos económicos varían según las condiciones las cuales pueden incluir que la Gestante se radique durante el período del embarazo en otra ciudad, viajes, estudios, etc. En caso de viajar a Ucrania hay que considerar los costos de viajes, cuestiones de salud, y gastos no relacionados.

A veces el pago de la Gestante es sólo una pequeña parte del presupuesto. Pongo énfasis en considerar que en crio preservación pueden necesitarse varios intentos para lograr un embarazo exitoso.

Las personas se preguntan si es necesario la participación de una tercera persona para Gestar y las causas de esta situación son múltiples. Desde el Síndrome de Mayyer-Rokitansky-Küster-Hauser que presupone que una mujer nace sin útero, a razones de tratamientos oncológicos, otro tipo de enfermedades que pueden poner en riesgo la vida de la madre, y también a personas de género masculino (al nacer) que solos o en pareja del mismo género no tienen acceso a Gestar.

¿Cómo es el proceso en Ucrania?

En primer lugar, al menos uno de los padres debe tener una relación biológica con el bebé futuro. Se estimulan los óvulos de una mujer, la cual toma anticonceptivos para que la menstruación continúe durante la cancelación. La Gestante también toma anticonceptivos para sincronizar los ciclos. Después viene la estimulación, la recolección de óvulo, pueden ser propios o donados, y la fecundación del óvulo con el esperma del hombre.

Se crean embriones, se estimula a la Gestante y se le transfiere un embrión a su útero. Después de eso, la Gestante toma medicamentos por algunos meses, según corresponda y prescriba el médico, porque tiene el ciclo de otra mujer.

Cuando el bebé nace, se toma un certificado médico del hospital, luego se confirma la relación genética en un laboratorio independiente. Seguidamente, la madre subrogada renuncia a sus derechos sobre el bebé en el notario, el registro civil da todos los derechos a los padres y se avisa a la embajada para que se emitan los documentos del bebé.

Todas las embajadas comprueban el parentesco, envían las pruebas al país de origen de los padres en donde se registran. A veces los requirentes de algunos países deben permanecer en Ucrania durante uno o dos meses después del nacimiento del bebé, porque las embajadas expiden documentos sociales solamente después de una verificación minuciosa caso por caso.

Para cada individuo la experiencia es muy diferente. En mi caso, tuve el apoyo increíble de muchas personas y en especial de la embajada de Argentina en Ucrania.

¿Qué puedo agregar? En el paso **dos** de mi método establecí que hay que gestionar los temores. Los temores son sanos, solo hay que ocuparse. En un proyecto, el sueño hace que valga la pena el esfuerzo, y en temas de tratamientos de fertilización asistida el proyecto es traer una VIDA al mundo. Acompáñate por un buen equipo multidisciplinario y en especial por otras parejas que estén en la misma circunstancia, en miembros de la "tribu".

Cuando nace el deseo de tener hijos, los tiempos de concepción no deben dilatarse. En mi caso siempre quise formar una familia, pero los tiempos se alargaron y el proceso se complicó con pérdidas y duelos. Seré sincera, después de los 30 a 35 años, el nacimiento de un bebé podría costarte diez veces más que antes.

¿Cómo me relaciono con la madre subrogada?

En mi caso particular con la clínica se desalienta el contacto de uno con la gestante, en otros casos y debido a las circunstancias se puede establecer.

La relación con la Gestante depende de cada situación y de las relaciones y acuerdos previamente establecidos. Sin embargo, aquí hay algunos consejos generales que puedes tener en cuenta:

Comunicación clara: tener una comunicación clara y abierta con la Gestante antes, durante y después del proceso de gestación. Esto puede incluir discutir los términos del acuerdo, los deseos y expectativas de ambas partes y cualquier inquietud o preocupación.

Respeto: la persona Gestante subrogada tomó la decisión de ser madre sustituta, y merece el respeto a su privacidad.

Comprensión: la madre subrogada puede experimentar diversas emociones durante el proceso de gestación, como tristeza, alegría y ansiedad. En el proceso se la entiende y apoya en todo lo que necesite.

Aprecio: mostrar todo nuestro agradecimiento a la madre sustituta por el tiempo y el esfuerzo que ha dedicado a tener nuestro hijo.

Acuerdos: asegurar de que se respeten los acuerdos previamente establecidos y los derechos y necesidades de ambas partes.

Protección de los derechos humanos: garantizar que todas las partes involucradas tengan derecho a rescindir el acuerdo, a no ser discriminadas, a tener acceso a atención médica y a proteger su privacidad.

En mi caso he tenido buenas comunicaciones con las Gestantes, a través de la clínica y nos hemos acompañado. En el caso de Milan la situación cambió pues el país estaba en guerra y aparte había COVID, no la conocimos personalmente. Quiero dejar por escrito mi eterno agradecimiento a las Gestantes de mis hijos. Con ambas seguimos teniendo contacto y serán junto a mi madre las mejores mujeres que me acompañaron en la vida.

¿Cómo es la selección de una Gestante? ¿Criterios?

El proceso de elección de una Gestante que no sea la madre (también llamado sustituto) puede variar según su situación específica y las leyes y regulaciones locales. Sin embargo, algunos de los criterios comunes utilizados para elegir una Gestante incluyen:

Salud: asegurar que la mujer embarazada goza de buena salud física y mental antes de quedar embarazada. Esto puede incluir evaluaciones médicas y psicológicas.

Edad: la edad de la mujer es un factor importante, ya que puede afectar la salud del embarazo y del bebé.

Historial de embarazos: considerar el historial de embarazos de la potencial Gestante, incluso si ha tenido embarazos previos y cómo se desarrollaron.

Estabilidad emocional: asegurar que la Gestante tenga estabilidad emocional y psicológica antes y durante el embarazo.

Compatibilidad: considerar la compatibilidad entre la madre subrogada y la pareja o persona que busca tener un hijo, ambas partes deben sentirse cómodas y seguras durante el proceso.

Acuerdo: llegar a un acuerdo claro y por escrito antes del embarazo, incluidos los términos y responsabilidades de cada parte.

Normas legales: contemplar el cumplimiento con las normas legales y las leyes aplicables en el lugar donde se llevará a cabo el proceso.

¿Cuál es la relación de la madre sustituta con los hijos que lleva en su vientre? ¿Qué relación se establece?

La relación entre una madre subrogada y los hijos que lleva en el vientre varía según la situación y los acuerdos previamente establecidos. Se pueden dar las siguientes situaciones:

Sin contacto: la Gestante no tiene contacto con el bebé tras el parto y su papel en la gestación es puramente biológico.

Contacto limitado: la madre subrogada puede tener un contacto limitado con el bebé después del parto, como visitas programadas o intercambio de cartas y fotos.

Contacto continuo: el sustituto puede tener una relación continua con el bebé después del nacimiento, en un rol de tía o abuela.

Adopción: la madre sustituta puede optar por adoptar al niño que dio a luz.

Debido a las múltiples posibilidades que pueden darse, se establecen los acuerdos para asegurar que ambas partes hayan llegado a un entendimiento claro y por escrito sobre la relación entre la madre sustituta y el bebé antes de concretar el embarazo.

¿Cuáles son todos los riesgos de la subrogación y por qué lo hice de nuevo?

La gestación subrogada, también conocida como "maternidad subrogada", conlleva ciertos riesgos, tanto físicos como legales y éticos. Algunos de los riesgos comunes incluyen:

Riesgos físicos: como con cualquier embarazo, la madre subrogada corre el riesgo de sufrir complicaciones durante el embarazo, como preeclampsia, diabetes gestacional, trabajo de parto prematuro, entre otras.

Riesgos legales: en algunos lugares, la subrogación puede ser ilegal o no estar regulada, lo que puede crear riesgos legales para las partes involucradas.

Riesgos éticos: la subrogación plantea preocupaciones éticas, como la comercialización de la reproducción humana, la explotación de las madres subrogadas, la discriminación, entre otras.

Riesgos emocionales: la gestación subrogada puede generar un gran impacto emocional en las partes involucradas, ya sea por la relación con el niño, o por el incumplimiento de los términos del contrato, entre otros.

Riesgos de cambio de opinión: es posible que una de las partes involucradas cambie de opinión sobre el acuerdo, lo que puede generar problemas legales y emocionales.

Riesgos de discriminación: la gestación subrogada puede dar lugar a la discriminación de personas con discapacidad o que padezcan problemas de salud.

Los planteos LEGALES y éticos

¿Puedo efectuar un tratamiento de subrogación de vientre en Argentina?

Si bien yo lo llevé a cabo en Ucrania, la respuesta es que en Argentina también se puede, pero debe haber una autorización judicial y un acuerdo legal entre las partes, la jurisprudencia existente se orienta, en una gran cantidad de fallos, a favor.

Frente a esta tendencia jurídica, el Registro Civil del Gobierno de la Ciudad de Buenos Aires emitió la resolución 93/DGRC en

2017 por la que se permite inscribir a los nacidos por técnicas de gestación solidaria sin necesidad de requerir autorización del juez. La resolución establece:

1) Que se trate de menores nacidos en el país por el método de gestación solidaria realizada en el país;

2) Que la voluntad procreacional de los progenitores haya sido expresada en forma previa, libre e informada;

3) Que la Gestante previa y fehacientemente hubiera expresado no tener voluntad procreacional; y,

4) Que la inscripción deberá hacerse en términos preventivos, además debiendo ser asentados en el legajo los datos de la Gestante.

En Argentina, a la fecha de la publicación de este libro, no hay una legislación específica para el proceso de Subrogación, la que pare es la madre, aunque no exista vinculación biológica.

El artículo 558 del Código Civil y Comercial de la Nación Argentina, acepta como filiación aparte de la adoptiva y biológica, la voluntad procreacional. Para sortear esto se requiere una autorización de un juez, lo que ha posibilitado muchos casos autorizados, desde el caso de una mujer que gestó en su vientre el embrión producido por su hermano y su cuñado, hasta otros casos que dieron motivo a una triple filiación, es decir al registro de un acta de nacimiento con tres personas como los padres.

"En Argentina, a partir de la sanción del nuevo Código Civil y Comercial, se reconocen como fuente filiatoria, además de la naturaleza y la adopción, las técnicas de reproducción humana asistida. Esta fuente de filiación reconocida por el artículo 558 reposa en la voluntad procreacional.

En último análisis, la filiación por técnicas de reproducción asistida queda indisolublemente ligada con ella; la voluntad procreacional se expresa a través del consentimiento libremente informado de quienes intervienen en los procesos de reproducción de la vida por medio de dichas técnicas. Este consentimiento debe practicarse siguiendo determinados procedimientos y debe ser incluido en legajo que será sustento para la confección de la partida de nacimiento. Debemos entender que dicho consentimiento representa la expresión de la voluntad manifiesta, libre y consciente de las personas, en participar de un proceso de reproducción de la vida mediado por las TRHA."

[1]

¿Puedo registrar un niño nacido por subrogación de vientre en el extranjero, en mi país de origen?

El artículo 2634 del Código Civil y Comercial establece que *"Todo emplazamiento filial constituido de acuerdo con el derecho extranjero debe ser reconocido en la República de conformidad con los principios de orden público argentino, especialmente aquellos que imponen considerar prioritariamente el interés superior del niño"*. Acorde y en sintonía a este artículo, y mientras esté en todo de acuerdo con la legislación del país donde se produzca el tratamiento, entonces será reconocido por el derecho argentino.

---

[1] Libro *Cuerpos Gestantes*, pág. 28. Ver bibliografía al final del libro

PASO 11: INVESTIGAR PARA ENTENDER

¿Cómo fue la experiencia de ciudadanos argentinos en Ucrania?

A principios del año 2022, la práctica despertó la atención de los medios a partir de los casos de parejas argentinas que quedaron varadas en Ucrania en medio de la guerra con Rusia. ¿Es legal en el territorio nacional? ¿Qué opiniones hay al respecto y por qué en algunos sectores genera rechazo?

Los hijos más conocidos son algunos de los casos famosos de personas que en el último tiempo recurrieron a la subrogación de vientres para cumplir con su deseo de maternar o paternar. Si bien en la Argentina es una práctica que aún no está legislada, son cada vez más las parejas o individuos que, al no poder o querer Gestar o llevar a término un embarazo, emprenden el proceso de subrogación.

Pero ¿de qué hablamos cuando hablamos de gestación subrogada? En resumen, se trata de una práctica que consiste en el consentimiento de una persona Gestante para llevar a término un embarazo con la intención de satisfacer el deseo o la necesidad de quien o quienes serán responsables de la crianza del bebé.

Sin intención de agotar un tema por demás complejo, a continuación, les presento algunas de las premisas que describen la situación actual y permiten empezar a entrar en el debate.

La legislación en Argentina

¿Es legal alquilar un vientre en nuestro país? La situación es difusa, porque si bien no existe una ley que prohíba o legalice la práctica, hay una traba que complejiza el proceso. Para el artículo 562 del Código Civil, es madre de un niño aquella que lo gesta, y que, por ese motivo, quienes intentan llevar adelante la gestación subrogada en Argentina deben hacer una presentación judicial para pedir autorización.

Sin embargo, en la Ciudad Autónoma de Buenos Aires existe la posibilidad de no recurrir a la Justicia. Consultada por AM750, la psicóloga perinatal y fundadora de la Fundación CONCEBIR, Estela Chardón, explicó que en el territorio porteño actualmente rige un amparo colectivo que "permite la inscripción de un bebé a nombre de sus padres (por ejemplo, en el caso de parejas masculinas) con el contrato de gestación frente a un escribano y el consentimiento informado de la clínica de reproducción, sin necesidad del fallo judicial".

Pero la situación es diferente en otras jurisdicciones del país. Fuera de CABA, es necesario tener un fallo judicial para poder inscribir al bebé. En Córdoba, recientemente, una jueza falló a favor de un médico que, luego de dos años de espera, podrá ser padre mediante el método de subrogación de vientre.

Proyectos de ley

En la actualidad existen dos proyectos que buscan abordar el tema en su conjunto, uno es el de la diputada nacional del Frente de Todos por Córdoba Gabriela Estévez y otro del senador mendocino de la UCR, Julio Cobos. Ambos establecen una serie de requisitos en común para llevar adelante la práctica, como la provisión de seguro médico para la persona Gestante, el derecho a que quien nace a través de este método pueda acceder a la información legal concerniente a cómo fue gestada y la penalización a terceros que pretendan lucrar con el método de gestación subrogada.

Los puntos de coincidencia no terminan ahí. Ambos proyectos hacen hincapié en la exigencia de que las personas solicitantes tengan al menos cinco años de residencia en el país, para evitar el arribo de extranjeros que tengan como fin el proceso de gestación por sustitución.

En diálogo con AM750 y Página12, la diputada Gabriela Estévez subrayó la importancia de legislar la actividad ya que, como señala un Informe de la Relatora de Naciones Unidas sobre la explotación infantil- es en los marcos donde la legislación no es clara cuando se producen abusos. Una de las situaciones que se pretende evitar es que "aspirantes a progenitor de países occidentales empleen intermediarios con ánimo de lucro para contratar a madres de alquiler vulnerables de países en desarrollo", tal como indica el informe de la ONU.

Opiniones a favor y en contra de la subrogación

"Las personas no quieren, sino que necesitan una gestación subrogada", señala Chardón, sobre quienes se deciden a emprender este proceso. Desde su experiencia en CONCEBIR, la psicóloga explica que, en los casos de impedimentos médicos o estructurales para Gestar, se trata de "situaciones muy angustiantes", y que hasta hace unos años las únicas opciones para estas personas eran recurrir a la adopción o a un tratamiento en un país en donde estuviera legalizada la práctica.

Respecto de los derechos de las personas Gestantes, Chardón sostiene que es necesaria una legislación que delimite, ordene y unifique los contratos de gestación. "Una Gestante por contrato con apoyo del equipo tratante y con sus derechos claramente establecidos habilita y empodera a mujeres que deciden Gestar para otra familia", plantea.

Consultada por los cuestionamientos a la gestación subrogada que se hacen desde distintos sectores, la psicóloga destaca como entre las críticas "más fuertes" la idea de que el bebé fue concebido a través de un vínculo mediado por un contrato y un pago de una suma dinero.

En ese sentido, Chardón aporta: "Este es un tema en donde hay valores morales en juego, y por eso una ley solo resolvería lo que esta sociedad permite o no. Como en el caso del aborto, no se pueden resolver las diferencias éticas individuales sino lo que como sociedad se permite o no. La diferencia es que en la gestación las personas que la necesitan son una minoría".

Por otro lado, también se hace eco de las críticas a la mercantilización del cuerpo de las personas subrogantes. "Lamentablemente, en un sistema capitalista siempre el cuerpo es empleado y se recibe un pago por esto, ya que en cualquier empleo hay un uso del cuerpo", opina.

Y concluye: "Quienes se oponen dicen que se explota o usa el cuerpo de la Gestante, pero yo creo que la mujer puede decidir sobre su cuerpo tanto para abortar como para Gestar. Es una elección que no toda mujer deseará, pero es posible hacerlo de forma empoderada".

Los cambios en las leyes y fallos judiciales son constantes, antes de iniciar el proceso, deberás revisar todo cambio que se haya incorporado que pueda beneficiarte aún más.

¿Qué consideraciones legales hay en otros países?

Muchos gobiernos han tomado una posición oficial a favor de los tratamientos de fertilidad y han establecido una serie de leyes y reglamentos para regular su uso. Sin embargo, algunas personas e instituciones pueden tener puntos de vista diferentes y pueden estar en contra de su uso por razones éticas o religiosas.

La fertilización asistida generalmente se acepta y se usa ampliamente para ayudar a parejas o personas que tienen dificultades para quedar embarazadas de forma natural. En general, los tratamientos se consideran un tratamiento médico seguro y efectivo para la infertilidad y están cubiertos por algunas compañías de seguros de salud.

Es difícil determinar exactamente qué país tiene la mayor cantidad de casos de fertilización asistida, ya que su disponibilidad y uso varía mucho de un país a otro. Sin embargo, algunos países tienen tasas de fertilización asistida más altas que otros debido a factores como la disponibilidad de tratamientos, la financiación del seguro médico para las leyes y reglamentos que rigen el uso de esta.

Ucrania es uno de los países que ofrece tratamientos de fertilización asistida y está disponible en muchos hospitales y clínicas, por lo cual es un destino popular para las personas que buscan una solución a la infertilidad.

Son varios los tratamientos de reproducción asistida que ofrece Ucrania: fecundación in vitro (FIV), inseminación artificial y reproducción asistida por donación de óvulos. Los tratamientos suelen ser menos costosos que en otros países, lo que los hace muy atractivos.

¿Por qué estar en contra de la reproducción asistida?

Preocupaciones éticas: las preocupaciones éticas sobre la reproducción asistida, particularmente cuando se trata de técnicas como la fertilización in vitro (FIV), son válidas, porque pueden conducir a embarazos múltiples y la creación de embriones en exceso. También puede haber preocupaciones éticas con respecto al uso de óvulos donados o la subrogación.

Problemas de salud: hay preocupaciones debido a posibles efectos a largo plazo de la FIV en la salud de los bebés o las madres.

Preocupaciones sobre lo antinatural: hay cuestionamientos sobre la técnica de gestación FIV porque se percibe como un procedimiento que va en contra de la naturaleza y la forma en que se deben crear y criar a los niños.

Preocupaciones sobre la diversidad: surgen preocupaciones sobre la diversidad genética y la variedad de niños resultantes de la reproducción asistida, especialmente cuando se trata de técnicas como la reproducción humana asistida.

Es importante recordar que estas son solo algunas de las razones por las que algunas personas pueden estar en contra de los tratamientos y que todos tienen derecho a sus propias opiniones y creencias.

¿Existen religiones que prohíban la reproducción asistida?

Algunas religiones tienen enseñanzas o creencias que pueden considerarse contrarias a la fertilización asistida. Por ejemplo, la Iglesia Católica Romana tiene enseñanzas muy claras sobre la reproducción asistida y las considera inmorales, al menos hasta el momento de publicar este libro.

El análisis de usar técnicas de fertilización asistida debe hacerlo cada persona con su pareja, y preguntarse cómo encaja en sus creencias religiosas, hablar con los líderes religiosos o cualquier persona que se considere relevante antes de tomar una decisión.

Las distintas creencias que están en contra de la fertilización asistida o de ciertas técnicas de fertilización asistida presentan sus propios argumentos.

Algunas ramas del cristianismo ven la fertilización asistida como una forma de manipulación de la vida y creen que el proceso de concepción debe dejarse en manos de Dios.

El Islam tiene enseñanzas que prohíben la reproducción asistida cuando implica la creación de embarazos múltiples o el uso de óvulos donados.

El budismo no tiene una posición específica sobre la reproducción asistida, pero algunas ramas del budismo pueden tener preocupaciones éticas sobre la manipulación de la vida y la creación de embarazos múltiples.

¿Qué papel juega la perspectiva ética en la fertilización asistida?

La perspectiva ética de la reproducción asistida se refiere a los principios éticos y morales que deben tenerse en cuenta al tratar temas relacionados con la reproducción humana. Algunas de las principales cuestiones éticas relacionadas con la fertilización asistida incluyen:

El derecho a tener hijos: algunas personas creen que todos tienen derecho a tener hijos y que la fertilización asistida ayuda a hacer realidad este derecho.

Selección de sexo: algunas personas consideran que la selección de sexo a través de la fertilización asistida es éticamente inaceptable.

Investigación con células madre: la investigación que utiliza células madre obtenidas de embriones humanos puede generar preocupaciones éticas.

Clonación: la clonación humana puede considerarse éticamente inaceptable debido a sus posibles consecuencias para la salud y la privacidad.

Eugenesia: la fertilización asistida puede utilizarse para seleccionar rasgos genéticos y algunas personas consideran que esto es éticamente inaceptable.

Discriminación: la fertilización asistida podría usarse para discriminar a personas con discapacidades o problemas de salud, nuevamente no sería éticamente aceptable.

¿Cómo repensar el enfoque ético y por qué?

Repensar el enfoque ético de la reproducción asistida implica evaluar los principios éticos y morales actuales relacionados con la reproducción humana y examinar cómo pueden actualizarse o mejorarse para adaptarse a los cambios tecnológicos y culturales en curso. Algunas razones por las que puede necesitar repensar su enfoque ético incluyen:

Cambios en la tecnología: a medida que avanza la tecnología, las técnicas de fertilización asistida también evolucionan y pueden crear nuevos desafíos éticos que no se habían considerado anteriormente.

Cambios en las perspectivas culturales: las actitudes y puntos de vista de la sociedad sobre temas como la reproducción, la privacidad y la salud pueden cambiar con el tiempo, lo que puede influir en cómo se aborda la fertilización asistida desde una perspectiva individual.

Nuevas consideraciones éticas: los avances tecnológicos y los cambios culturales pueden generar nuevas consideraciones éticas relacionadas con la reproducción asistida, como la selección de características genéticas o la clonación.

Protección de los derechos humanos: es necesario repensar el enfoque ético de la reproducción asistida para garantizar el respeto de los derechos humanos de todos los implicados, incluidos los futuros hijos y los que no pueden tener un hijo.

Explotación: es importante repensar el enfoque ético de la subrogación para evitar la explotación de las madres subrogadas, especialmente en países donde la regulación puede ser débil o inexistente.

Comercialización: la gestación subrogada puede convertirse en un negocio y debe ser regulada para evitar la comercialización de la reproducción humana.

Repensar el enfoque ético de la reproducción asistida garantizará el respeto de los derechos humanos y la protección del bienestar de todos los implicados, ayudando a las personas a tener hijos.

Empresas e infertilidad

¿Qué impacto tiene el sentimiento de empatía en las empresas respecto a la reproducción asistida?

La empatía es la capacidad de ponerse en el lugar de otra persona y comprender sus sentimientos y puntos de vista.

En la vida de empleados en las empresas, el sentimiento de empatía se manifiesta con el apoyo emocional a las personas y familias que se someten a un tratamiento de fertilización asistida, resultando en una mejora significativa de la calidad de la experiencia del empleado (EX).

Cuando las áreas de RR.HH. pueden ofrecer una asistencia más integral y adaptada a las necesidades de las personas, logran reducir el estrés y la ansiedad de los colaboradores que atraviesan desafíos personales.

Las personas se sienten más cómodas, expresan sus inquietudes y están más comprometidos con la empresa, logrando un equilibrio saludable entre la vida laboral y personal.

A su vez, la empatía facilita la comunicación y la confianza entre los compañeros de una empresa con sus líderes, y las personas y parejas en tratamiento de reproducción asistida ganan en el confinamiento.

Este apoyo en las empresas se puede llevar a cabo brindando programas específicos de asesoramiento que pueden ser conducidos por empresas consultoras expertas en la gestión de este tipo de consultas. Y por otro lado ofrecerlo en los programas de liderazgo de mandos medios y altos, la regla es aceptar con respeto toda situación que se les presente.

En lo que respecta al ámbito personal, familiares, amigos, vecinos, compañeros de actividades, el proceso de empatía se sostiene en base al respeto a la privacidad y aceptación de las situaciones que puedan tener las personas acompañando sin condición alguna. ¿Cuántas personas que están en procesos de fertilización ocultan el deseo de ser padres o madres porque pueden ser disgregados de planes de carrera?

¿Es importante para una empresa conocer los métodos de reproducción asistida?

Si, sí, sí, te solidarizas con la vida y bienestar de sus empleados, demuestra que tienes corazón. De la misma manera que la empresa cuida sus productos y servicios y lo hace a través de sus empleados, clientes, proveedores y aliados, cada persona tiene una vida personal, donde los retos son muchos, y uno de ellos es formar una familia.

El hecho de que una empresa pueda conocer y comprender todos los métodos de fertilización está siendo empática con los empleados.

PASO 11: INVESTIGAR PARA ENTENDER

El porqué del método GESTAR

¿Por qué desarrollar un método de gestión de proyectos? Hay tantos métodos. ¿Es necesario crear uno? Estoy convencida de que sí y te explico por qué.

Pues gracias a mi método pude tener a mis hijos, incluso mientras viajaba a Ucrania en plena guerra con Rusia y en plena era del COVID. Así que quise crear un método y que logré los siguientes objetivos:

- ✓ **Brindar un método ágil de 11 áreas de trabajo**, en un orden determinado, donde incluyo temas que no se abordan directamente como temores que cambian de nombre por la gestión de riesgos. Basados en 3 pilares: Razón, Corazón e Intuición.

- ✓ **Desmitificar que un plan siempre funciona según lo previsto antes de que comience**. A veces creo que miramos planos bidimensionales y en realidad cubren 3 o 4 dimensiones. Lo que, a primera vista, la distancia de un punto (x, y) a otro puede ser una unidad (por ejemplo, desde el punto (2.2 a 2.3) tal vez haya 20 unidades de distancia si consideramos un eje z como 2.2.0 a 2.3.10. ¿Qué sería si el eje z representara lo que no vemos, como el hielo en el agua bajo la punta de un iceberg?

- ✓ **Proporcionar un libro conciliatorio que ayude a las empresas a no perder de vista lo que sucede cuando uno de sus empleados no puede tener hijos**. ¿Se está acabando el mundo? O con paciencia y resiliencia, ¿es hora de analizar más opciones que las naturales? Conocer y comprender los métodos de fertilización asistida es importante para las personas y parejas que tienen dificultades para concebir un hijo por varias razones:

- Ayuda comprender mejor las opciones posibles de gestación.

- Permite tomar decisiones informadas sobre el tratamiento de reproducción asistida más adecuado para ellos, considerando sus preferencias y circunstancias personales.

- Contribuye a mejorar la eficacia de los tratamientos de reproducción asistida conociendo las técnicas y los factores que influyen en su éxito.

- Ayuda a prepararse psicológicamente para el proceso de reproducción asistida y a gestionar las emociones que puedan surgir durante el mismo.

- Ayuda a tener una experiencia más positiva y menos estresante, tanto personal como laboral.

✓ **Proporcionar un libro de motivación para todas las personas que quieran conocer un método de vida gestacional a través de la gestación subrogada.** ¿Necesario? Nunca sabremos si alguien cercano a nosotros, familiares, amigos o compañeros puedan necesitar este material.

✓ **Proporcionar un método que puede ser aplicado a cualquier otro sueño, idea o proyecto de vida o profesional.**

¿Por qué crear un nuevo método de gestión de proyectos?

Hay varias razones por las que es importante crear nuevos métodos de gestión de proyectos:

1. **Mayor eficiencia**: mejorar la gestión de tiempo y recursos, lograr los resultados deseados y satisfacer las necesidades de las partes interesadas.

2. **Mayor flexibilidad**: ser más flexibles y adaptables a las necesidades de cada proyecto.

3. **Mayor claridad**: ser más claros, más fáciles de entender y mejorar las interacciones.

4. **Mayor adaptabilidad al cambio**: ser más efectivos en la gestión y adaptación al cambio, especialmente en proyectos con un alto grado de incertidumbre.

Método GESTAR

¿Qué es una evaluación?

El término "evaluación" se refiere a la actividad de recopilar y analizar información para evaluar la condición o las características de algo. En el contexto de la salud, valuación (o evaluación) puede referirse a la evaluación de la salud de una persona o de algún aspecto de su salud.

Por ejemplo, en el contexto de la reproducción asistida, la valuación (o evaluación) puede incluir la recopilación de información sobre el historial médico de la pareja, exámenes físicos y de laboratorio, y la evaluación de la función reproductiva de ambos miembros de la pareja. La información se utiliza para determinar el tratamiento de fertilización asistida más adecuado para la pareja y para evaluar el éxito del tratamiento.

En general, la valuación (o evaluación) es una herramienta importante para tomar decisiones informadas y establecer un plan de tratamiento adecuado.

Una evaluación. Sí, seamos prácticos, empecemos con una evaluación GESTAR.

¿Cómo gestionar un proyecto cuando las habilidades no están disponibles en la organización?

Administrar un proyecto cuando las habilidades necesarias no están disponibles en la organización puede ser difícil, pero existen varias estrategias que pueden ayudar a enfrentarlo:

Educación y capacitación: brindar educación y capacitación a los miembros del equipo ayuda a desarrollar las habilidades necesarias de **transformación y mejoras** para el proyecto. Abarca las modalidades de cursos en línea, talleres, programas de tutoría, entre otros.

Contratar profesionales externos: la contratación de profesionales con las habilidades necesarias es una forma efectiva de llenar los vacíos en la organización. Esto puede incluir la contratación de consultores, el empleo de profesionales a tiempo completo o parcial, o el uso de servicios de subcontratación.

Reestructuración del equipo: la reestructuración del equipo garantiza que las habilidades necesarias estén disponibles para el proyecto. Requiere la reasignación de miembros del equipo a diferentes funciones, la contratación de nuevos miembros o el cambio de la estructura del equipo.

Reasignación de tareas: la reasignación de tareas dentro del equipo garantiza una adecuada distribución de las habilidades del equipo. Requiere delegar a miembros del equipo con habilidades específicas o buscar colaboración con otros departamentos o equipos.

¿Cuáles son los elementos clave de la gestión de proyectos? ¿O las claves del éxito?

La gestión de proyectos involucra una serie de elementos y herramientas clave para planificar, ejecutar y monitorear con éxito un proyecto. Algunos de los elementos clave de la gestión de proyectos incluyen:

Planificación: establecer antes del inicio objetivos claros, un plan de acción detallado y un cronograma para lograr los objetivos.

Flexibilidad: conocimiento de cuándo y cómo producir cambios y mejoras. Ser flexible y estar preparado para adaptarse a todo tipo de situaciones, previstas y no previstas, internas o exógenas, dentro o fuera de nuestra área de control.

Liderazgo: dirigir y motivar al equipo, establecer objetivos claros, tomar decisiones y resolver problemas.

Comunicación: mantener a todos los interesados informados y comprometidos con el proyecto.

Recursos: contar con los recursos necesarios, incluido el personal, los materiales y el presupuesto para lograr los objetivos del proyecto.

Monitoreo y control: monitorear y controlar el avance del proyecto, identificar problemas y tomar medidas para corregirlos.

Riesgo: identificar y evaluar los riesgos potenciales del proyecto y desarrollar estrategias para mitigarlos.

Calidad: asegurar que el proyecto cumpla con los estándares de calidad exigidos.

Evaluación: evaluar el proyecto no solo al principio o al final, sino también revisar el progreso durante la ejecución.

Trabajo en Equipo y Colaboración: Los resultados de un trabajo en Equipo y colaborativo es exponencialmente mejor que los resultados individuales, no sólo por los resultados, sino también por el proceso de aprendizaje que se manifiesta en la red neuronal de las relaciones.

¿Cuáles son las deficiencias de los métodos actuales de gestión de proyectos?

Aunque existen varios métodos de gestión de proyectos ampliamente aceptados y utilizados, también tienen algunas deficiencias. Algunas de las deficiencias más comunes incluyen:

Falta de flexibilidad y Agilidad: métodos de gestión de proyectos rígidos que no se adecúan a proyectos con requisitos cambiantes o inciertos. Tampoco a las entregas parciales de resultados.

Sobredimensionamiento: métodos altamente que generan mucha documentación, difícil de seguir e innecesaria para proyectos pequeños o de bajo riesgo.

Falta de enfoque en el cliente: métodos enfocados en cumplir con los requisitos internos de la organización en lugar de las necesidades y requisitos del cliente.

Falta de atención a la cultura: métodos que no tienen en cuenta la cultura y la dinámica de trabajo de la organización y pueden generar resistencia al cambio.

Falta de enfoque de equipo: métodos centrados en la planificación y el seguimiento del proyecto en lugar del desarrollo del equipo y la mejora continua.

Falta de atención a la innovación: métodos conservadores que no fomentan la innovación y el pensamiento original.

Falta de valores de diversidad e inclusión: los métodos a veces son estructurados en función de la cultura del país donde se está desarrollando el proyecto, por lo cual invito a tener una mirada global de inclusión.

¿Cuáles son las diferencias entre gestionar un proyecto en cascada y un proyecto ágil?

La gestión de proyectos Waterfall y Agile son dos enfoques diferentes para la planificación, ejecución y seguimiento de proyectos.

Algunas de las principales diferencias entre estos dos enfoques incluyen:

Instancia del Proyecto	Waterfall	Agile
Planificación	Proceso detallado y completo que tiene lugar al inicio de un proyecto, antes de que comience la ejecución.	Iteraciones cortas, llamadas "sprints" que se ajustan a medida que avanza el proyecto.
Cambios	Difíciles de implementar una vez que se lanza el proyecto.	Se anticipan e integran en el proyecto a medida que se desarrollan.
Comunicación	Se basa en documentos y, principalmente, entre los miembros del equipo y el director del proyecto.	Es continua y se basa en la colaboración entre los miembros del equipo.
Riesgo	Se identifica y evalúa desde el inicio del proyecto.	Se identifica y evalúa constantemente a medida que avanza el proyecto.
Control	Se basa en la revisión y aprobación de documentos.	Se basa en la revisión continua y la retroalimentación de los miembros del equipo y del cliente.
Documentación	Se genera una gran cantidad de documentación.	Se busca la documentación exacta que se necesita para el proyecto.

Requisitos de gestión

¿Cuáles son las fases de la nueva gestión de proyectos?

Se le suma toda la noción emocional, como el manejo de los miedos y atreverse a más.

¿Cuáles son los desafíos de la gestión de proyectos?

El principal reto es la gestión del cambio, a la que podemos sumar la gestión de la experiencia (EX Employee Experience, UX User Experience, CX Customer Experience) y añadiremos nuevas disciplinas como la experiencia de cambio de ChX, el experimento digital DX, el experimento de inteligencia artificial de AIX, la ciencia de datos, entre otros).

¿Qué pasaría si no se utilizara una buena gestión de proyectos?

Una mala gestión nos lleva a enfrentar 2 escenarios:

A) Habrá retrasos, aumentos de presupuesto, falta de calidad, fallos de todo tipo, riesgos y un sinfín de problemas.

B) El surgimiento de nuevos productos y servicios fruto de los errores cometidos y la necesidad de pensar lateralmente para su resolución.

Pretendo utilizar el método GESTAR y la GX (Gestate Experience) para conectar el mayor proyecto de la humanidad, que es el desarrollo de la vida humana, con los proyectos de actividad que llevamos a cabo.

MARIEL ZOCO

En Bucarest, en la calle General Eremia Grigorescu, en la parte lateral de un edificio se encuentra este mural realizado por Sweet Damage Crew, un grupo de arte callejero. Quise representar el assessment con este mural, pues representa una mujer diseñando, ¿un sueño o un proyecto tal vez? ¿Pasamos de la idea a la acción?

PARTE II ASSESSMENT

PARTE II ASSESSMENT

Ejercicios Prácticos

Hacer una introducción a la Parte II indicando cómo desarrollar estos ejercicios en el ámbito de todo proyecto a realizar, ya sea personal, profesional o empresario.

El Método GESTAR trata justamente de usar la palabra GESTAR en todos los ámbitos.

1

Establecer la visión y la misión para alcanzar un propósito

Objetivo:

Ejercitar la co-creación de una Visión y Misión. Se realiza en base a una empresa ficticia.

Requisitos:

Hojas A4

Marcadores o lapiceras

Rotafolio o Pizarra Digital

Pasos:

1 Alinear conceptos: explicar los conceptos de Visión y Misión, su significado e intención, y la diferencia entre ambos (10 minutos).

2 Definir un objetivo: presentar a los participantes la necesidad de crear una empresa, deberán votar entre 4 opciones: s a) Una empresa "B", b) una ONG c) Una start up que se ocupe del medio ambiente d) Una start up que se ocupe de la tercera edad.

3 Divergir para crear la Visión y Misión: pedir a los participantes que de manera individual escriban en distintas hojas, cuál creen que es la Visión y la Misión de la iniciativa seleccionado y que coloquen su nombre en la parte posterior de la hoja (10 minutos).

4 Distribuir las propuestas: recolectar todos las propuestas y distribuirlas de manera que no vuelva a las manos del mismo autor. (2 minutos).

5 Idear sobre otros: trabajar individualmente en las propuestas de Misión y Visión recibidas, leyendo cada una y resaltando aquello con lo cual está de acuerdo y por qué, lo mismo si no está de acuerdo con su explicación (10 minutos).

6 Poner en común los rescates: hacer una puesta en común de lo trabajado, donde cada persona presenta su análisis y el facilitador rescata en la pizarra los puntos en los cuales hubo acuerdos (1 hora).

7 Converger en la creación de la Visión y Misión: formar grupos de hasta 4 personas y reescribir la Visión y Misión en base a lo rescatado por el facilitador (30 minutos).

8 Poner en común de la Visión y Misión final: presentar por grupos su versión de Visión y Misión con los fundamentos para una nueva puesta en común para la votación final (30 minutos).

Nota: se puede plantear desde la paternidad, es decir la Misión y Visión de la paternidad.

PARTE II ASSESSMENT

2

Enfrentar temores

Objetivo:

Representar los miedos y sus consecuencias para hacerlos tangibles, verbalizarlos y desdramatizar la amenaza que real o imaginariamente representa cada uno de ellos. Se usa el juego como recurso para exteriorizar los miedos que en principio podrían estar solo en el imaginario.

Requisitos:

Hojas A4

Cinta pintor

Marcadores o lapiceras

Rotafolio o Pizarra Digital

Pasos:

1 *Escribir los miedos y priorizarlos:* pedir a los participantes que escriban individualmente hasta 5 miedos a los cuales se enfrenta (individuales o del Proyecto) y los prioricen de acuerdo con el nivel de temor que represente (10 minutos).

2 *Representar los miedos,* descubrir causa y enfrentarlos

Preguntar a los participantes:

a) Si el miedo fuera un objeto ¿qué sería? Dibujar cada miedo (hasta 3).

b) Si pudiera indagar la causa del miedo ¿cómo podría describir el origen del miedo? ¿Viene de una historia pasada?

c) ¿Si el miedo se concretara qué pasaría? Contestar brevemente (20 minutos)

c) Si hubiera un elemento mágico para neutralizar cada uno de los miedos, ¿cuáles serían? Representar con un dibujo el elemento.

3 Clusterizar los miedos: pedir a cada participante que peguen en la pizarra las representaciones de los miedos y a continuación agruparlos por similitud (5 minutos).

4 Combatir los miedos: pedir a los participantes que coloquen cada uno de los elementos mágicos y los asocien a los miedos. Los mismos serán el anclaje al miedo cada vez que vuelvan al consciente individual o colectivo (5 minutos).

5 Construir herramientas de defensa: convertir los elementos mágicos en insignias que acompañarán a lo largo del Proyecto (15 minutos).

Nota: se puede plantear desde los miedos al proyecto de subrogación.

3

Atravesar fronteras

Objetivo:

Permitir a los participantes entender las fronteras culturales a través del entendimiento de las costumbres de los países y las fronteras personales a través de la introspección de creencias que quieran vencer.

Pasos:

Sugerencia de Libro *Kiss, Bow, or Shake Hands*, Terri Morrison.

Selección de copia de 1 país para cada equipo.

Actividades:

1 *Fronteras culturales:* pedir a los participantes analizar las costumbres del país asignado e identificar cuáles son las diferencias con respecto a la cultura de los integrantes. (10 minutos).

2 *Fronteras personales:* pedir a cada integrante de los equipos que describan individualmente cuáles son las creencias que más fuertes que hayan adquirido, pero no por elección y quisieran cambiar y por qué es tan desafiante. (10 minutos).

3 *Intercambio de creencias personales a vencer:* pedir a los integrantes de los equipos compartir las creencias que quieran cambiar y estar abierto a sugerencias. (20 minutos).

Nota: se puede plantear desde las creencias que puedan impedir avanzar en la decisión de métodos alternativos para la búsqueda de un hijo.

PARTE II ASSESSMENT

4

Transitar el camino el camino, dejar trayectoria

Objetivo:

Ejercitar la definición de un camino e imaginar su tránsito a través de una experiencia personal.

Requisitos:

Hojas A4

Papeles Afiche (1 por persona), a mí me sirvió una cartulina grande, cortada en circulo color naranja.

Marcadores y lapiceras

Pasos:

1 Visualizar la meta final: pedir a cada persona que a través de un dibujo o grafiti visualice cómo se vería en 6 meses, 1 año, 2 años o 5 años a la fecha, con todo el detalle que sea posible y sin pensar en los obstáculos (10 minutos).

2 Trazar un mapa de ruta de 5 hitos: trazar en un papel afiche una línea de tiempo de 5 años. Cada año es un hito que es parte del recorrido final para llegar a la meta final. Pedir a los participantes que describan qué hitos ocurrirán para llegar a la meta (15 minutos). También se pueden recortar fotos de revistas, diarios describiendo estos hitos.

3 *Poner en común el camino:* pedir a los participantes compartir la visualización de su camino con el detalle de lo que esperan encontrar a lo largo del mismo (15 minutos).

Nota: se puede plantear desde el trayecto que se imaginan desde los deseos de un embarazo hasta el nacimiento del bebé o tal vez todos los sueños que quieren lograr, con fotos pegadas como si ya lo tuviesen.

PARTE II ASSESSMENT

5

Autogestionar

Objetivo:

Evaluar la capacidad de autogestión de cada individuo a través de una encuesta co-creada por los mismos participantes.

Requisitos:

Hojas A4

Lapiceras

Pasos:

1 Definir los principios de la autogestión: pedir a los participantes formar equipos de trabajo de 4 personas máximo y solicitar que definan los principios (mínimo 5) que consideran que una persona debe tener para demostrar que puede autogestionar las asignaciones que le son dadas (10 minutos).

2 Elaborar una encuesta: pedir a cada equipo que desarrolle una encuesta para evaluar los principios de autogestión por ellos definidos, deberá tener una escala de valoración (20 minutos).

3 Realizar la encuesta: pedir a los participantes que intercambien las encuestas y las respondan individualmente (10 minutos).

4 *Poner en común la experiencia*: pedir a los integrantes de los equipos compartir cómo se sintieron luego de contestar la respuesta y qué aprendieron de ellos mismos (20 minutos).

Nota: en caso de conocer los pasos para el proceso de subrogación, se puede evaluar hasta qué punto cada persona siente que tiene la capacidad de autogestionar y compartirlo.

PARTE II ASSESSMENT

6

Recordar

Objetivo:

Retrotraer recuerdos que sean una fuente de inspiración motivante debido a los logros alcanzados personal o profesionalmente y a su vez recordar momentos que se consideran fallas pero que dejaron aprendizaje.

Requisitos:

Hojas A4

Marcadores y lapiceras

Rotafolio o pizarra digital

Pasos:

1 Compartir historias de éxito: pedir a los participantes formar grupos de 2 personas para que en turnos compartan una historia de logro personal o profesional de la cual estén orgullosos y adicionalmente explicar por qué eligieron esa anécdota (5 minutos para cada historia).

2 Mostrar vulnerabilidad: nuevamente pedir a cada grupo que pongan en común una historia que vivieron como un fracaso y explicar qué enseñanza les dejó (5 minutos).

3 Identificar los valores: hacer una puesta en común de todos los grupos donde cada participante comparte su punto de vista sobre qué percibe que su colega valora más en base a las anécdotas relatadas (20 minutos).

Nota: se puede plantear desde las experiencias de paternidad, con los intentos que no resultaron exitosos, con situaciones de felicidad en la búsqueda y logro de embarazo y nacimiento.

7

Gestionar recursos

Objetivo:

Aplicar la gestión de recursos en la construcción de una maqueta de una casa inteligente y sustentable que deberá ser costeada y valuada para su venta. Habrá una competencia entre los equipos participantes, el ganador será el grupo que logre el mayor retorno de la inversión.

Requisitos:

Material de utilería para armado de maqueta con valor de costo asignado a cada material.

Pasos:

1 Definir el objetivo y condiciones: pedir a los participantes que formen grupos de hasta 6 participantes y solicitar la construcción de una maqueta de 50x70 cm de una casa inteligente y sustentable para lo cual utilizarán los recursos disponibles. El tiempo para la construcción de la maqueta será de 1 hora. Se le proveerá material con su costo y dispondrán de un presupuesto de 500usd para la adquisición de material adicional que necesiten. (1 hora).

2 Tasación de la casa: al finalizar la maqueta cada grupo deberá estimar el valor de venta de la casa y realizar la venta

anticipada. A mayor nivel de comodidades, mayor valor de ventas (15 minutos).

3 ROI: estimar las ganancias obtenidas antes de EBITDA. Ganará la maqueta con mejores resultados (15 minutos).

8

Atraer energía positiva

Objetivo:

Trabajar el comportamiento positivo para generar un entorno motivante a través del lenguaje y el pensamiento.

Requisitos:

Rotafolio o pizarra digital

Pasos:

1 Introducir los conceptos de Inteligencia Emocional: interiorizar a la audiencia sobre cómo los pensamientos tienen impacto en las emociones y en el actuar, técnicas para la autorregulación de las emociones y técnicas para promover entornos positivos. La importancia del poder (30 minutos).

2 Identificar la intención de las palabras: pedir a los participantes que formen grupos de hasta 4 personas para trabajar en textos de noticias previamente seleccionados sobre los cuales deberán identificar qué palabras se perciben como negativas y cuáles cómo positivas y armar dos listados a partir de las mismas. Reflexionar sobre la fuerza que tienen las palabras en la predisposición del ánimo (30 minutos).

3 Analizar qué tipo de conversaciones predominan en las conversaciones internas: cada persona deberá escribir en una hoja qué pensamientos vienen a su mente frente a una situación límite o angustiante, qué se dice cada uno (10 minutos).

4 Puesta en común en pares: pedir a los participantes que formen grupos de 2 para intercambiar los hallazgos del punto 3 (5 minutos cada uno).

5 Analizar qué tipo de conversaciones (positivas o negativas) están inmersas en la cultura de la organización: pedir a los participantes que identifiquen cómo se presentan las malas noticias, ¿cómo se abren las reuniones y cómo se podría mejorar para generar un clima más positivo?, ¿cómo se realizan las asignaciones de trabajo y cómo se podría mejorar la solicitud? ¿cómo se realizan las conversaciones de feedback y cómo se podría mejorar? (incorporar otras instancias de conversación deseables de mejora) (30 minutos)

6 Compartir las propuestas para mejorar las conversaciones: seleccionar una situación (ejemplo la apertura de las reuniones) e idear propuestas para mejorar el clima antes del inicio de una reunión usando la técnica ¿cómo haríamos para…? (ejemplo: iniciar mejor los encuentros de seguimiento). (30 minutos).

PARTE II ASSESSMENT

8

Atraer energía positiva (alternativa 2)

Objetivo:

Trabajar el comportamiento positivo para generar un entorno motivante a través del lenguaje y el pensamiento.

Requisitos:

Rotafolio o pizarra digital

Pasos:

1 *Introducir los conceptos de Inteligencia Emocional:* interiorizar a la audiencia sobre cómo los pensamientos tienen impacto en las emociones y en el actuar, técnicas para la autorregulación de las emociones y técnicas para promover entornos positivos. La importancia del poder (30 minutos).

2 *Role playing:* pedir a 2 participantes voluntarios para actuar. La escena que deberán representar consiste en una persona que está con su ánimo caído debido a que su trabajo fue criticado por falta de resultados. Uno de los actores deberá empatizar y a través de su comportamiento y palabras transformar la situación del otros.

3 *Identificar el lenguaje y comportamiento que logra influir positivamente en el otro:* pedir a los participantes que

analicen qué palabras o gestos utilizó la persona para influir y mejorar el comportamiento del otro. (10 minutos).

Nota: se puede plantear desde la situación de una pareja con deseos frustrados de tener un hijo y pedir representar una conversación en la cual una de las partes logra influir positivamente en el otro para sacarlo de la situación angustiante y energizarlo.

PARTE II ASSESSMENT

9

Gestionar situaciones críticas

Objetivo:

Definir una situación crítica en equipos y proponer alternativas de mitigación.

Requisitos:

Rotafolio o pizarra digital.

Pasos:

1 Definir una situación crítica: pedir a las personas que formen equipos de hasta 4 personas y definan una situación crítica por la cual el Proyecto o compañía esté atravesando y explicar por qué la consideran crítica (10 minutos).

2 Puesta en común: pedir a cada equipo que presente la situación elegida y las razones por las cuales la consideran crítica (10 minutos).

3 Generar una lluvia de ideas: pedir a los equipos que tomen la situación de otro grupo y realicen un brainstorming de ideas para proponer alternativas de mitigación de la criticidad (15 minutos).

4 Presentar la co-generación de ideas: pedir a los equipos que un representante presente las alternativas que se idearon en

el grupo para la mitigación de la situación que le fuera asignada (15 minutos).

Nota: se puede plantear desde una situación que se considere crítica en el proceso de búsqueda de embarazo.

10

Volver a empezar

Objetivo:

Compartir anécdotas en donde hubo espacio para una segunda o tercera o cuarta oportunidad.

Requisitos:

Rotafolio o pizarra digital

Pasos:

1 Describir la anécdota: pedir a las personas que escriban individualmente una anécdota en la cual les fue posible un segundo intento y resultó exitoso. (10 minutos).

2 Puesta en común: pedir a los participantes que voluntariamente compartan su historia y resalten las causas por las que fue posible volver a intentar como así también las razones por las cuales resultó exitoso (30 minutos).

Nota: se puede plantear desde la situación de los intentos de una pareja en la búsqueda de la paternidad.

11

Investigar para entender

Objetivo:

Aplicar el proceso de investigación que se lleva a cabo durante la búsqueda de información.

Requisitos:

Rotafolio o pizarra digital.

Acceso a Google search, OpenAI y otros lugares de búsqueda.

Pasos:

1 *Presentar el tema a investigar*: se presenta a los participantes el tema sobre el cual realizarán la investigación, el caso elegido será sobre aladeltismo. Pedir a los participantes que formen equipos de trabajo de 4 personas como máximo (10 minutos).

2 *Definir el marco de trabajo de la búsqueda*: pedir a los participantes que previo a iniciar la búsqueda definan qué necesitan encontrar, el alcance de la investigación con una lista de preguntas guía, la modalidad con que llevarán a cabo el proceso, cuáles serán las fuentes por utilizar y la manera en que recopilarán la información para ser presentada (15 minutos)

3 Realizar la búsqueda y recopilación de la información: los participantes realizarán la investigación para el armado de un informe que será presentado al resto de los equipos.

4 Presentar la información: cada equipo presenta el resultado de su investigación. Luego que todos los equipos hayan compartido su presentación, se abrirá un espacio de retroalimentación para compartir las brechas de información detectados entre los distintos grupos.

Nota: se puede plantear la situación de investigación sobre opciones de gestación frente a la infertilidad.

Buscar el destino.

Disfrutar el camino.

Dar la vuelta al mundo.

Volver al punto de partida.

Mirar hacia arriba.

Sentir.

Girar.

Recordar lo recorrido.

Y nuevamente volver a empezar.

Deseo este libro te traiga preguntas y puedan descubrir las respuestas más adecuadas.

MARIEL ZOCO

Otro día.

PARTE II ASSESSMENT

Momento para buscar algo para cenar.

Agradecimientos

Familiares

María del Carmen Fornés: A mi madre, incondicional mujer, líder. La que me ha enseñado todo y ha dado lo mejor de sí. Todo lo que soy se lo debo a ella.

Sergio Zoco: Hermano incondicional, gran luchador y defensor de las cosas justas. Gracias por haber sido mi hermano y padre. Gracias por ser mi ángel guardián aquí en la tierra y por haberme salvado la vida.

Walter Zoco: A mi hermano mayor. El gran ejemplo de la lucha y perseverancia, por su intensidad de hermano, el gran compañero de ruta y a su descanso eterno en paz.

Roberto Domingo Zoco: a mi padre. Te fuiste cuando era yo pequeña, pero quiero que estés junto a mí y a mi familia siempre.

A Gabriel, mi amado esposo con quien pudimos cumplir el gran sueño. Siempre estaré muy agradecida a la vida por habernos encontrado. Sin vos no lo hubiéramos logrado.

A las Gestantes Catherina e Irina, dos grandísimas mujeres a quienes les debo todo mi agradecimiento y admiración eternos.

Valeria Riccardo: Por su soporte constante, apoyo y ayuda. A su esposo José Zalazar e hijos por acompañarla en este proceso tan difícil de entrar a la guerra y ser el sostén de Emma en Argentina.

Joshua Riccardo: Hermano mayor de Emma y Milan. Por su tenacidad, garra y resiliencia. Por su paciencia y comprensión para recibir.

A mi suegra y mamá de Gabriel, María Teresa Della Mattia por su calidez, dulzura, y gran corazón. Eternamente agradecida.

Claudia Bravo: Por cuidar de Emma como lo hubiera hecho yo. Su profesionalismo y calidez humana brillantes.

A todos los tíos, sobrinos Aixa, Alan, Aitor, Rufina, Guillermina, Máximo, a ahijados: Jacqueline, Ezequiel, Alan y Agustina, cuñados Adrián y Silvina, José y Susana, a Valentin y Lourdes, a mis primos: por sus rezos y energía positiva que nos han enviado, especialmente Germán Temprana, Nancy Temprana, Jessica Cuchi y Araceli Livio quienes estuvieron muy presentes con sus rezos y haciendo seguimiento constante en cada evento crítico que hemos vivido, como así también en los momentos sublimes de felicidad.

AGRADECIMIENTOS

Cuerpo Médico, Terapeutas y Profesionales de la Salud

A Carlota Lucini: Médica ginecóloga, especialista en medicina reproductiva. Por su excelente calidad profesional, la mejor que he visto en todos mis tratamientos de fertilidad y su contención humana. Me ha acompañado en los últimos intentos y en mis decisiones finales en camino a la subrogación.

Mariela Rossi: Magister en Familia y Pareja. Psicóloga Orientada en Fertilidad. Docente UBA/UNSAM-M.A in Family and Couple. Infertility Counsellor. Professor at University of Buenos Aires and University of San Martín. Destaco su alta especialización en materia de subrogación y familia. Su alto estándar como persona. He recibido de ella la mejor terapia que he realizado.

Valeria Blumetti: Médica Pediatría, especialista en Infectología. Por ser la pediatra de mis hijos, la mejor doctora que encontré en el camino de la vida. Por compartir algunas historias similares y por brindarnos apoyo en cualquier momento que lo necesitamos. Por su profesionalismo y por su gran calidez humana. Llegué a ella gracias a Laura Perdome, a quien estoy muy agradecida.

Clínica Biotex y todo su cuerpo médico: Con su alto profesionalismo permitió alcanzar los sueños desde la ciencia y la tecnología. A Alina Rudenko por el apoyo incondicional, de ella y su familia, su compromiso en tiempos de Guerra.

Marga: Terapeuta Cuántica. Por su mente fuera de la caja, mirando más allá de las estructuras y por todo su conocimiento y compromiso. Fue una guía fundamental con apoyo diario y permanente en todo momento.

Ioana Oprescu: Medica doctor pediatric at Emergency Children Hospital Bucharest. Por su profesionalismo al acompañarnos en nuestros días internados. Por su capacidad médica y su calidez humana.

Amigos

Andrea Flores: Por su gran calidez de persona, entrega y sinceridad. Agradecida inmensamente por ofrecerme lo más preciado, ofrecerme su cuerpo para Gestar a mis hijos. Esas personas únicas que la vida te regala.

Analía Aragone: por su incondicionalidad de Amiga, gran calidez humana. Agradecida por ofrecerme tanto apoyo y ayuda. Su presencia fue esencial en cada instante del proceso. Analía, para los amigos Nana, es de las personas que querés tener en tu mesita de luz, porque son únicas.

A mi grupo de amigas "La granja": A Analía Aragone, por ser una amiga incondicional, a Jessica Cuchi, prima y amiga, por su positivismo y soporte. A Elizabeth González Ocampo por sus rezos y energía positiva. A Patricia Ferreiro, Mariana Anderson, Noel Carranza por su soporte inmenso.

Laura Alves, Agustina, Ignacio y Sergio Quiroga: Por su apoyo incondicional siempre. Familia amada.

AGRADECIMIENTOS

Gabriel Feldman, Débora Grosberg y Camila: Amigos amados, que la vida nos regaló para seguir el mismo camino de la subrogación.

Angie, Mariano y Loli compañeros de esta ruta vertiginosa de búsqueda de familia.

David, Sabrina y Nai, encontrarlos en este camino, nos unió en un para siempre.

A todo el grupo de Papas y mamas que luchamos por alcanzar los deseos más bellos de la vida. Especialmente a María Pía y su familia a Silvana y su familia.

A Mariela, Bruno y Vito, también por seguirnos en este camino de la subrogación.

A todo el grupo "Vicentinas" compañeras del secundario del colegio San Vicente de Paul.

A mi amigo Pablo Ortega, por un amigo por siempre.

Compañeros de trabajo, líderes y referentes en el camino profesional

Juan Aranguren: por su apoyo humano, nos acompañó en cada momento crucial. Gracias a toda la bendición del Padre Guillermo Muzzio, en proceso hoy de beatificación. Juan es un referente en materia tecnológica y gestión.

María Eugenia Huergo: Gerente de Recursos Humanos de PAE. Por su gran capacidad y calidez humana de acompañarnos en este proceso tan complejo y difícil. Me abrió las redes a muchas personas que nos ayudaron o se ofrecieron por si necesitábamos más ayuda.

Guillermo Marzaroli y Juan Pablo Martín: Por su gran contribución a la gestión de licencia por maternidad en un país que no está regulado. Siendo hombres y padres de familia y referentes en materia de Recursos Humanos, les agradezco enormemente todo el apoyo.

María Eugenia De Candia: Por su profesionalismo, sensibilidad y calidez humana. La cual la sentí muy cerca en todo el proceso.

A Rodolfo Berisso: Pedirle disculpas por la preocupación generada en mi proceso y gracias por todas las enseñanzas en materia de liderazgo corporativo.

A Romina Cavanna, por permitir este acompañamiento corporativo en los procesos de fertilidad y subrogación. Por su tenacidad en concretar sus sueños, inspiración para muchas mujeres.

Board y Ejecutivos de Pan American Energy: Por su liderazgo y las enseñanzas que imparten como así también acompañar a las personas en los momentos más críticos. Alejandro Bulgheroni, Marcos Bulgheroni, Juan Martín Bulgheroni, Mariana Bulgheroni, Diego Maffeo, Marcelo Gioffre, Hernan Giacumbo, Rafael Machin, Sandra Vaimberg, Pablo Ravlich, Alejandro Amaro, Gustavo Román, Francisco Villarreal y todo el equipo de PAE. A todos ellos, una gran enseñanza me han dejado para aplicar en algún evento o situación descripta en este libro.

Agradecimientos

A mis compañeros de PAE: Gustavo Scarafia, Maximiliano Córdoba, Sergio Crocce, Adrián Nowik, María del Rosario Romero, Francisco Moura, Pedro Franko, Florencia Kavanagh, Eduardo Domínguez con quienes comparto día a día cumplir objetivos relevantes para la empresa.

A mis Equipos y personas de PAE, con quienes cruzamos fronteras desafiantes día a día, año a año: A Laura Moreyra, Nicolás Battaini, Marcos Pawlik, Guillermo Montero, Natalia Palavecino, Lucas Usoz, Guillermo Rucci, Federico Boese, Lorena Vázquez, Sabrina Ledesma, Laura Perdome, Sergio Ortigoza, Diego Rodríguez, Natalia Testa, Daniel Alonso, Andrea Szterenlicht, Pablo Higa, Javier Farabello, Natalia Lo Gullo, Alfredo Colell, Héctor Arévalo, Diego Bloise, Diego Baliña, Santiago Petel, Leonardo Del Percio, Charo Cousido, Romina Papaleo, Diego Cerrato, Natasha Kowalski, Adrián Piccininno, Nadia Mantel, Javier Domine, Mariela González, Hernán Minaverry, Julio Bordakevich, Carmen Ortiz, Matías Browne, Carlos Miceli, Mariana Baldi, María Emilia Montenegro, Sergio Mondino, Mariano Vázquez, Jorge Rodríguez, Julieta Morel, Erika Candusso, Pamela Paz, Gonzalo Bernabei, Adolfo Di Franco, María José Touceda, Serafín Chelilo, Claudina Pezzi, Marcela Huarriz, Marisa de Jesús y todo el equipo de Recursos Humanos, Tecnología de la Información, Compras e Inventarios.

A un sinfín de profesionales que han marcado enseñanzas en mi sendero profesional con huellas en aspectos humanos, entre los más destacados: Martín Méndez y toda la empresa que lidera a nivel mundial, Sergio Donzelli, Muñiz Moreno, Isabel Loaldi, Ernesto Tacchi, Alberto Barril, Federico Tagliani, Claudia

Mucarzel, Marcela Losa, Gonzalo Bengochea y muchísimos más.

A Sonia Malissani, una excelente ejecutiva bancaria que, con su calidad profesional y humana, pudimos realizar tareas administrativas inimaginables.

A mi profesora de inglés Sofía Hourclé por darme las herramientas y todo su apoyo, para poder comunicarme en entornos donde la lengua era un factor clave y también a mi profesora Débora Goulart, profesora de portugués quien me enseño años atrás a tomar contacto con el idioma y el cual utilicé también en el viaje (teníamos redes de comunicaciones de las embajadas de Brasil en Ucrania).

A Mariana Iturburu, quien nos apoyó en cuestiones legales, por su gran calidez profesional y humana. Por su lucha constante en materia de Subrogación.

Al Escribano Horacio, gran referente para nosotros y ejemplo de familia, quien nos ofició de notario para documentación en nuestra partida hacia Ucrania.

A Alina y su familia de Rumania gran familia de Rumania.

Personal Diplomático

A Elena Leticia Mikusinski, embajadora de Argentina en Ucrania y Yusef Safer, Cónsul de la embajada de Argentina en Ucrania, a Carlos María Vallarino diplomático embajada de Argentina en Rumania, a todo el personal de cancillería de Argentina, a todos los voluntarios, por su gran ayuda y servicio

Agradecimientos

diplomático en el exterior, a los cascos blancos, sin ellos no hubiéramos podido salir bien de Ucrania.

MARIEL ZOCO

Representar la razón con la pintura verde, el corazón con la roja, y la intuición con el amarillo anaranjado, expresan junto a las líneas de mis 11 pasos, una forma de ver la vida al GESTAR.

EMMA

MILAN

AGRADEZCO A YANINA DE MARTINO POR ASISTIRME A EXPLORAR EL ARTE DE LA PINTURA, CON VOS LLEGUE A LOGRAR MANIFESTAR A TRAVÉS DEL ARTE LOS CAMINOS RECORRIDOS PARA LLEGAR A ALCANZAR MIS SUEÑOS

Mariel Zoco

Madre de Emma y Milan, esposa de Gabriel, hija de María del Carmen y de Roberto Domingo, hermana de Walter y Sergio, gerente de Tecnología de Procesos Corporativos de Pan American Energy (PAE).

Con una trayectoria de más de 26 años en la industria de petróleo y energía.

Recibida de Contadora Pública Nacional de la Universidad de Buenos Aires, focalicé mis habilidades en estrategia de IT, inteligencia empresarial, productos SAP, Oracle, gestión de proyectos de software y planificación de proyectos, Gestión de Procesos, ERP, PMI, CMO, CMMI, ITILv3, SOX, COBIT.

Hice tres Posgrados, un posgrado en Transformación Digital en IEBS, otro en Dirección de Procesos en la Universidad de San Andrés y uno en Dirección de Proyectos en la Universidad de Belgrano.

Bibliografía

Quiero dejar un especial agradecimiento a Mariela Rossi quien fue mi terapeuta acompañándome en todo el proceso y quiero recomendar los libros en que ella ha participado:

Ambos libros los podrán encontrar en internet, quiero dedicarles una anticipación.

El libro de Cuerpos Gestantes me pareció un material que profundiza mucho en los temas de bioética, debates en el mundo, y el enfoque de la Gestante. El capítulo ¿Madre es la que pare?, que muestra las tensiones entre lo biológico y lo volitivo es recomendable. Incluye la descripción detallas de escenarios que henos visto en televisión y cine para analizar la evolución de este tema. Es realmente exhaustivo el enfoque del acompañamiento psicológico y las lecturas clínicas.

En el libro Desafíos actuales de la clínica de reproducción encontrarán toda la información acerca del proceso. Es una guía increíble de aspectos legales y jurisprudencia. Se analiza concepto de familia, todo el material relacionado a género y la maternidad subrogada, pero en especial en las partes 2 y 3 encontrarán material de evaluación, acompañamiento, guías de buenas prácticas, y en especial todo el enfoque multidisciplinario cubriendo los temas de estrategias para comunicar y socializar, el anonimato de gametos, la criopreservación, los desafíos de la oncofertilidad, y todo el material de la evolución del régimen legal y regulatorio de la reproducción asistida en Argentina.

- ISBN: 978-987-733-292-6 (12-2021, 354 pág., 80.997 palabras) Cuerpos Gestantes, Sello Editor: Nueva Editorial Universitaria - U.N.S.L, de los autor/es Paula Abelaira, Nicolás Aguas, Rocío Alaniz, Abril Almonacid, Sebastián Ayala, Estela Chardón, Soledad Expósito, Dolores Gallo, Florencia Helman, Ludmila Jurkiowski, Natacha Salomé Lima, Patricia Martínez, Flavia Andrea Navés, Inés Mintz, Paula Morente, Elizabeth Ormart, Diana Pérez, Carolina Pesino, Mayra Quinteros, Guadalupe Romero, Mariela Rossi, Pamela Rossi, y Roxana Gabriela Soria. Fecha Publicación: 12/2021.

- ISBN: 978-987-733-224-7 (02-2020, 331 pág., y 73.781 palabras), Desafíos actuales de la clínica de reproducción, Sello Editor: Nueva Editorial Universitaria - U.N.S.L. de los autor/es: Rocío Belén Alaniz, Dolores Gallo, Ludmila Jurkowski, Flavia Andrea Naves, Mariela Fernanda Rossi, Pamela Rossi, Natacha Salomé Lima.

Índice

Prólogo 9
Introducción 11
Método Gestar 17
Paso 1: Misión y visión 29
    Todo comenzó cuando… 34
    Nuestros primeros intentos de embarazo 37
    El desafío de comenzar un proceso de subrogación 40
    Método Gestar – Misión y Visión 45
Paso 2: Enfrentar temores 51
    Se desata la guerra 54
    Preparando a Emma 56
    Primer contacto con Irina, la Gestante de Milan 58
    Milan se adelanta a la fecha de parto 59
    Nace Milan, tenemos que partir 61
    Método Gestar: Enfrentar temores 66

Paso 3: Atravesar Fronteras **71**
    Frankfurt 74
    Estación de Bucarest, Rumania 77
    Suceava, Rumania 79
    Siret, Rumania, el cruce a Ucrania 81
    Chernivtsi, Ucrania, falta muy poco 82
  Reflexiones **85**
  Método Gestar: Atravesar Fronteras **89**

Paso 4: Transitar el camino **95**
    Los caminos recorridos 102
  Método Gestar: Transitar el camino y dejar trayectoria **105**

Paso 5: Autogestionar **109**
    El poder de la autogestión 114
    Nuestro primer embarazo positivo por subrogación 119
    Las abuelas reciben la noticia 119
    Nace Emma 121
    Un hermano para Emma 123
  Método Gestar: Autogestionar **126**

Paso 6: Recordar **131**
    Primeros deseos de ser madre 135
    Un cambio de timón 136
    La persona indicada para ser padre 138
    Empezamos el camino de la paternidad 138
  Cartas a mis hijos **140**
  Método Gestar: Recordar **144**

Paso 7: Potenciar los recursos **149**

BIBLIOGRAFÍA

Bajando las escaleras 154
¡Nos encontramos con Milan! 155
La difícil salida de Kiev 158
Universo quiero decirte ¡Gracias! 159
Método Gestar: Potenciar los recursos 162

Paso 8: Atraer energía positiva 169
Ahora… ¿Cómo salir de Sucevita? 173
De vuelta a Bucarest 175
Un momento lleno de recuerdos 176
El deseo de formar una familia 177
10.   **Reflexiones** 179
Método Gestar: Atraer energía positiva 180

Paso 9: Gestionar Situaciones Críticas 183
Días difíciles en el hospital 187
Reflexiones 192
Método Gestar: Gestionar situaciones críticas 194

Paso 10: Aprender y volver a empezar 197
Avanzamos ahora otra etapa de la vida los cuatro juntos 201
Método Gestar: Aprender y volver a empezar 202

Paso 11: Investigar para Entender 207
Método Gestar: Investigar para entender 211
Causas de Infertilidad 213
¿Cuáles son los síntomas de infertilidad? 215
¿La fertilidad es algo físico o psicológico? 216
¿Qué papel juega la edad en la fecundación? 216
Impacto emocional de la infertilidad 217

¿Qué otros desafíos se enfrentan?...217

La decisión de tener hijos **218**

¿Cómo entender el cambio de vida con los niños? 218

Métodos de fertilización asistida 219

¿Qué estadísticas se conocen sobre los resultados?......................221

¿Cuáles son los riesgos de la reproducción asistida? 222

¿Cuántos procedimientos de reproducción asistida puedo hacerme al año?...223

¿Cómo se manejan los embarazos múltiples?...............................224

Estudios Requeridos Para el tratamiento de Fertilización Asistida.225

¿Qué es un análisis de sangre del nivel hormonal?......................227

La fertilización asistida resultó exitosa............................. **228**

¿Qué decisión se debe tomar para evaluar el estado del niño durante el embarazo? ¿Por qué hacerlo y por qué no? 228

Tuvimos Una Pérdida, ¿Cómo La Afrontamos? RESILIENCIA ..230

¿Cómo recuperarse de la tristeza? 231

¿Se lo comunicamos a los hermanos?..232

¿Cómo se lo comunicamos a nuestros amigos y familiares?............234

¿Cómo afectan a la pareja e individualmente los intentos de embarazo? 235

La crio preservación de gametos...236

La Subrogación 237

¿Cómo es el proceso en Ucrania? 242

¿Cómo me relaciono con la madre subrogada?...........................244

¿Cómo es la selección de una Gestante? ¿Criterios? 245

¿Cuál es la relación de la madre sustituta con los hijos que lleva en su vientre? ¿Qué relación se establece?..246

¿Cuáles son todos los riesgos de la subrogación y por qué lo hice de nuevo?..247

BIBLIOGRAFÍA

Los planteos LEGALES y éticos **248**

¿Puedo efectuar un tratamiento de subrogación de vientre en Argentina? 248

¿Puedo registrar un niño nacido por subrogación de vientre en el extranjero, en mi país de origen? 250

¿Cómo fue la experiencia de ciudadanos argentinos en Ucrania? ... 251

La legislación en Argentina 252

¿Qué consideraciones legales hay en otros países? 255

¿Por qué estar en contra de la reproducción asistida? 256

¿Existen religiones que prohíban la reproducción asistida? 257

¿Qué papel juega la perspectiva ética en la fertilización asistida? ... 258

¿Cómo repensar el enfoque ético y por qué? 259

Empresas e infertilidad **261**

¿Qué impacto tiene el sentimiento de empatía en las empresas respecto a la reproducción asistida? 261

¿Es importante para una empresa conocer los métodos de reproducción asistida? 262

El porqué del método GESTAR 263

¿Por qué crear un nuevo método de gestión de proyectos? 265

Método GESTAR 266

¿Qué es una evaluación? 266

¿Cómo gestionar un proyecto cuando las habilidades no están disponibles en la organización? 267

¿Cuáles son los elementos clave de la gestión de proyectos? ¿O las claves del éxito? 268

¿Cuáles son las deficiencias de los métodos actuales de gestión de proyectos? 269

¿Cuáles son las diferencias entre gestionar un proyecto en cascada y un proyecto ágil? 270

Requisitos de gestión..272

¿Cuáles son las fases de la nueva gestión de proyectos?...................272

¿Cuáles son los desafíos de la gestión de proyectos?.........................272

¿Qué pasaría si no se utilizara una buena gestión de proyectos?.....272

PARTE II ASSESSMENT 275

Ejercicios Prácticos 277

Establecer la visión y la misión para alcanzar un propósito.............279

Enfrentar temores 281

Atravesar fronteras 283

Transitar el camino el camino, dejar trayectoria 285

Autogestionar..287

Recordar..289

Gestionar recursos..291

Atraer energía positiva..293

Atraer energía positiva (alternativa 2)...295

Gestionar situaciones críticas...297

Volver a empezar..299

Investigar para entender 301

Agradecimientos... 307

Familiares..307

Cuerpo Médico, Terapeutas y Profesionales de la Salud.................309

Amigos...310

Compañeros de trabajo, líderes y referentes en el camino profesional
....311

Personal Diplomático 314

Mariel Zoco...317

Bibliografía 319